ASGRE LÂN

E.P.C. Welsh Drama Series, No. 8

ASGRE LÂN

DRAMA GYMRAEG
Mewn Pedair Act

Gan

R. G. BERRY
Gwaelodygarth, Caerdydd

⚘

CYMERIADAU.

Y PARCHEDIG ELIS EVANS   Gweinidog Horeb.

GWEN EVANS - - Ei Ferch.

GRUFFYDD HUWS, Y BERTHLWYD.

MARI HUWS - - Ei Wraig.

MORUS HUWS - - Eu Mab.

DAFYDD ROBERTS, Y BWLCH.

HUW TOMOS, Y FFRIDD.

PIRS DAVIS, RHYD Y FEN.

DOCTOR LEWIS.

JONES - - - Y Plisman.

RODRIC, Y BEDOL.

BEVAN - - - Yr Arwerthwr.

GOMER - - - Ei Glerc.

JONATHAN - - - Y Criwr.

CADWALADR - - Ei Fab.

PEDAIR ACT.

Mae dwy flynedd rhwng Act I ac Act II, a mis rhwng Act II ac Act III, ac wythnos rhwng Act III ac Act IV.

ASGRE LÂN.

——

ACT I.

Cegin y Berthlwyd.

[*Saif y lle tân ar y chwith i'r edrychwyr a'r drws
ar y dde. Dodrefner mewn dull hen-ffasiwn—setl
ar yr ochr dde i'r tân, a'r dresar wrth y pared
gyferbyn â'r edrychwyr. Gosoder y bwrdd ar ganol
y gegin a'r cadeiriau mewn mannau cyfleus. Pan
y cyfyd y llen gwelir* DAFYDD ROBERTS, *y Bwlch, yn
eistedd ar y setl yn smocio, a* GRUFFYDD HUWS *yn
sefyll wrth y bwrdd yn ymyl* MORUS *ei fab, yr hwn
sydd yn ysgrifennu llythyr dros ei dad. Mae*
DAFYDD *a* GRUFFYDD, *er yn wahanol iawn i'w
gilydd yn hen gyfeillion.*]

MORUS : Be di'r rhif lluosog o'r gair clo, nhad ?

GRUFFYDD: Rhif lluosog—be wyt ti'n feddwl ?

MORUS (*yn ddi-amynedd*) : Be ddeydwch chi
am fwy nag un clo—tri o gloiau, tri o gloion, ne dri
o gloedigaethau ?

GRUFFYDD : Dyna ti'n siarad yn blaen rwan ;
waeth gen i glywad dyn yn tyngu a rhegi na'i

11

glywad o'n siarad fel llyfr mewn trowsus. (*Yn troi at* DAFYDD.) Dafydd, be di'r llif rhuosog (be gebyst ydi'r enw ?) o'r gair clo ?

DAFYDD : '' Tri chlo '' ddeydwn ni, yntê ?

GRUFYDD : Diain i, un ciwt wyt ti'r hen law ! Ond er hynny, sciam wael ydi peth fel yna i sgoi anhawstar. Llo—lloiau, yntê ?

DAFYDD : Ia, siwr.

GRUFFYDD : Dyn o'i go—dynion o'u coiau ; os felly, clo—cloiau : rho fo i lawr Morus, achos ma'r ironmonger na'n bry gramadegol ofnadwy.

MORUS (*ar ol diweddu'r llythyr*) : Dyna fo ; mi af a fo i'r post rwan.

GRUFFYDD (*yn gellweirus pan mae* MORUS *yn mynd drwy'r drws*) : Cofia di bostio fo yn y Post Offis ac nid yn nhy Mr. Evans y gweinidog.

DAFYDD : Ma gen ti fachgan dan gamp Gruffydd.

GRUFFYDD : Oes, ma Morus yn fachgan go lew ; ond mod i'n leicio herian dipyn arno fo weithia ynghylch Gwen Evans, merch y gweinidog.

DAFYDD : Ma'r ddau'n caru, yn tydy nhw ?

GRUFFYDD : Felly ma pobol yn deyd, os oes rhyw goel arnyn nhw. Gyda llaw, Dafydd, ma Mr. Evans y gweinidog yn mynd yn hên hwsmon efo chi yn Horeb acw bellach ; sut mae o'n dal i dir, dywad ?

DAFYDD : Siort ora ; fydd Mari ddim yn i gamol o wrtho ti weithia ?

GRUFFYDD : Bydd, debig iawn ; ond mi gamoli'th Mari ni bob pregethwr ; chaiff neb ddeyd gair bach am yr un enaid byw bedyddiol ohonyn nhw os bydd hi wrth ymyl. Mi fydda'n i phlagio hi amball dro drwy redag dipyn ar bre-gethwrs ; ond welis di rioed mor fuan y bydd hi'n codi'r pastwn i gadw'i plaid nhw.

DAFYDD : Go lew hi ; ma gyno ni glamp o feddwl o Mari Huws tua Horeb acw.

GRUFFYDD : Rwan, Dafydd, deyda'r gwir rhwng dau frawd—be di'r farn gyffredin am Mari ni yn Horeb ? Ofynnis i rioed o'r blaen iti. Tipyn o ddoctor a difein ydi hi, yntê, yng ngolwg rhai ohonoch chi ?

DAFYDD : Mae mwy ym mhen Mari, wel di, na'n hannar ni, a choeliet ti byth mor anodd ydi cael y gora arni hi ar bwnc o ddadl mewn dosbarth rwan—ma'i hatab hi mor barod rywsut bob cynnig.

GRUFFYDD : Dyna ti i'r blewyn—" atab par-od bob cynnig " ; pe dasa ti wedi byw efo hi fel fi am yn agos i ddeugain mlynedd, fasa ti ddim yn tynnu gwell llun ohoni na hwnna—" atab parod " ; yn ddistaw bach yn dy glust fel hên ffrind, rhy barod

13

o lawar, wyddost, i mhlesio i, achos mi fydda i'n leicio clywad y cloc yn rhuo dipyn yn i gorn cyn taro ; dda gen i mo'r clocia ma sy'n taro'n ddirybudd fel bwlat o wn.

DAFYDD (*dan ysgwyd ei ben a gwenu*) : Aros di Gruffydd, rwyt ti wedi rhoi darn go fawr at yr hyn ddywedis i ; nid parodrwydd fel yna oedd yn y meddwl i.

GRUFFYDD : Na, na, mi rydw i'n dy ddallt di'n burion—son yr oedda ti am i pharodrwydd hi ar bwnc o ddadl. Fum i rioed mewn dosbarth efo hi yn yr Ysgol Sul ; ond mi wranta mai'r fan yma ar yr aelwyd wrth bracteisio arna i y dysgodd hi sut i drin i harfau.

DAFYDD : Mi sonist am yr Ysgol Sul rwan ; pam na ddoi di i'r Ysgol, Gruffydd ; Wel, mi ofynna i beth arall i ti : mi rydw i wedi bod yn meddwl i ofyn o iti ar hyd y blynydda. Rwyt ti'n wrandawr yn Horeb acw erioed ; pam na ddoi di'n aelod, rhen ffrind ; Peth digon chwithig, wyddost, ydi gweld Mari mor selog a thitha, i gwr hi, y tuallan yn y byd.

GRUFFYDD : Chwara têg i ti am ofyn ; ond dyma gwestiwn i titha—pa wahaniaeth yno i fasa hynny'n i neud.

DAFYDD : Pa wahaniaeth—be wyt ti'n feddwl?

14

GRUFFYDD : Fasa dod yn aelod yn y ngneud i'n ddyn gwell nag ydw i rwan ?

DAFYDD : Cwestiwn go gynnil ydi hwnna, achos gofyn rwyt ti mewn ffordd neis be ydw i'n feddwl o dy gymeriad di fel dyn.

GRUFFYDD : O'r gora ; fasa dwad yn aelod o Horeb yn y ngneud i fymryn yn fwy geirwir a gonest nag ydw i ar hyn o bryd. Gneud dynion da, decini, ydi amcan aelodaeth eglwysig ?

DAFYDD : Ia, wrth gwrs ; ond gofala na roi di ddim ystyr bach ysgafn i'r gair ''da'' ; gair mawr iawn ydi'r gair ''da,'' wyddost.

GRUFFYDD : Howld on, ngwas i, paid ti a siarad efo fi fel taswn i'n sasiwn ne'n llond capal o bobol, a phaid a hollti blew hefyd ; ateb yn blaen— ydi deyd y gwir a byw'n onest yn dda ?

DAFYDD : Ydi, wrth gwrs, ma daioni yn cynnwys hynny, a rhagor hefyd.

GRUFFYDD : Ah, rhen sciemar, mi rwyt ti am dorri bwlch yn y clawdd efo'r gair '' rhagor '' na, er mwyn cael slipio drwyddo fo os daw hi'n glos cwartars arnat ti ; y pwnc yn blaen ydi hwn— a ddyla crefyddwr ddeyd y gwir a delio'n onest ?

DAFYDD : Wel, gwarchod pawb ! mi ddyla neud hynny bach wrth ddechra crefydda.

15

GRUFFYDD : O'r gora ; ma Huw'r Ffridd yn aelod yn Horeb acw, yn tydio o ?

DAFYDD : Ydi, mae o'n flaenor fel finna yn y sêt fawr.

GRUFFYDD (*Cyfyd ac â at y weather glass*) : Ah, ie, y sêt fawr, sêt bwysig ydi honno, yntê ? Edrach ar y weathar glas ma. Y sêt fawr, wyddost, ydi'r *very dry*, ar weddar glas yr eglwys : ond fel rwyt ti'n nesu oddiwrth y sêt fawr at y seti wrth y drws rwyt ti'n dwad at *Fair* a *Change ;* y tuallan i'r capel, wrth gwrs, rwyt ti yn y *Rain* a'r *Very Stormy.* Mi rydw i, Gruffydd Huws y Berthlwyd, yn y *very stormy*, ac ma Huw'r Ffridd yn *very dry* y sêt fawr.

DAFYDD : Aros funud—

GRUFFYDD : Gad lonydd i mi orffen. Chydig bach yn ol, fe werthodd Huw'r Ffridd geffyl i mi, ac fe aeth ar i lw nad oedd dim anghaffael na chastia drwg yn perthyn iddo fo. Mi cymrais o ar i air, am i fod o'n gymydog agos, ac yn un o bobol y sêt fawr ; ond cyn sicred a dy fod yn eista yn y fan na, cyn pen yr wsnos mi ddalltis fod gan y ceffyl gast ne ddau mor gâs fel nad oedd o'n dda i ddim ond i'w seuthu, a'i grogi hefyd ran hynny.

DAFYDD : Os daru mi dy ddallt ti, yr hen geffyl sy'n dy gadw di rhag bod yn aelod yn Horeb ?

GRUFFYDD (*yn danllyd*) : Nage, meistar yr hen geffyl—Huw gastiog efo'i sêt fawr a'i gybôl ffug-dduwiol : a dyna ydw i'n ddeyd, os petha fel Huw sy'n uchel i cloch yn y capel, dydy nhw ddim yn haeddu papur aelodaeth i ddwad i berthyn i'r byd heb son am yr eglwys, yn siwr i ti.

DAFYDD : Tro sal oedd hwnna, rhaid cyfadda ; ond un ydi Huw'r Ffridd ; yn eno'r taid annwyl, dwyt ti ddim yn taflu'n bod ni i gyd yn Horeb yn palu celwydd fel y gnath Huw'r tro yna ?

GRUFFYDD : O, nag ydw ; ond cofia di ma na rai tatws drwg yn sach Horeb heblaw Huw.

MARI HUWS (*daw i mewn gyda llyfr go fawr dan un fraich, a phapur newydd yn y llaw arall*) : Mi feddylis mod i'n clywad swn ych llais chi, Dafydd. (*Teifl olwg ar* GRUFFYDD.) Hylo, be di'r matar arnoch chi heno ? Ma'ch gwynab chi cyn goched a chrib ceiliog ; be sy wedi codi'ch gwrychyn chi rwan ?

GRUFFYDD : Dim, dim ; ymresymu dipyn hefo Dafydd yr oeddwn i.

MARI : Wel, yn wir, o'r holl greduriaid sydd ar y ffarm chi'r dynion ydi'r rhai rhyfedda ! Chi ddynion yn fodau rhesymol—chi sy'n colli'ch tempar y funud yr ewch i drio ymresymu ?

GRUFFYDD : Doedd yma neb yn colli dempar cyn i ti ddwad i mewn beth bynnag.

17

DAFYDD : Na, fi oedd yn ceisio perswadio
Gruffydd i ddod yn aelod o Horeb acw.

MARI : Felly wir ; mi fuoch, decini, yn deyd
wrtho fo'r fath golled i'r eglwys ydi bod heb ddyn
fel y fo ?

DAFYDD : Wel ia—

MARI : Mi fuoch yn dangos y fath fraint i'r
eglwys fasa medru bachu samon mawr fel Gruffydd
ni ? Begera aeloda y galwa i beth fel na ; fasa
Paul byth yn plygu i gardota pobol i'r eglwys yn y
ffordd yna ; ac er bod Gruffydd ma'n burion dyn,
nid wrth i gosi o a phorthi i falchtar o y medrwch
chi i gael o i mewn i'r eglwys ; y gwir plaen ydi—

GRUFFYDD (*ar ei draed*) : Hannar munud,
Mari ; ma dy wir cyffredin di'n ddigon crafog, os
doi di a dy wir plaen allan, mi mlingi fi i'r asgwrn.

MARI : Y gwir plaen ydi—ma Gruffydd yn
credu i fod o'n ddigon o eglwys i hunan.

GRUFFYDD : Ar y ngair i, os ydw i'n eglwys
ti ydi'r person a'r clochydd arni hi; brensiach fawr,
Dafydd, pam na rowch chi Mari ni yn y sêt fawr ?

MARI : Peidiwch a chellwar hefo petha na
wyddoch chi ddim am danyn nhw ; byddwch yn
fodlon i fod yn awdurdod ar fenyn a chaws a ffowls.
(*Try at* DAFYDD.) Dafydd, glywsoch chi fod Mr.
Evans yn *agent* dros y cwmni na yn Llunden ?

18

DAFYDD : Pa gwmni ?

MARI : Yn eno'r tad, y cwmni mawr sydd a
chymin o sôn am dano'n talu'r llôg arian uchel.

DAFYDD : O ! 'r *Auxiliary Society* ?

MARI : Dyna fo.

DAFYDD (*mewn syndod*) : Mr. Evans, y gwein-
idog yn *agent* iddyn nhw ?

MARI : Ia, pam lai ?   Does dim o le yn y
swydd, oes yna ?   Mi wyddoch fod degau lawer o
weinidogion y gwahanol enwada yn *agents* i'r
Auxiliary.

DAFYDD : Eitha gwir ; ond fedra i yn y myw
rywsut feddwl am Mr. Evans yn agent : fel myfyriwr
a phregethwr y bydda i'n arfer edrach arno fo.

GRUFFYDD : Hynny ydi, Dafydd, dy syniad di
ydi fod Mr. Evans yn ormod o freuddwydiwr i drin
busnes arian ?   Mae fel pe baet ti'n meddwl am
Williams, Pantycelyn, yn cyfri arian y tu ol i'r
cowntar ! Grym annwyl, mae o'n syniad digri
hefyd i feddwl am yr hen Evans yn canu mawl yr
Auxiliary Society ac yn dosbarthu *prospectuses* ar
hyd y wlad ma.   Diaist i, rwan y basa shar o ddawn
busnes Huw'r Ffridd yn dod yn handi iddo fo.   Mi
ddyla'r hen Huwcyn ddod a llyfr allan, mi ro i deitl
iddo fo'n rhad ac am ddim.

DAFYDD (*dan wenu*) : Pa deitl roet ti iddo fo ?

GRUFFYDD : Be di enw llyfr Tomos Binney hefyd—y llyfr na fuost ti'n ddarllen chydig yn ol, Mari ?

MARI : ''Pa fodd i wneud y goreu o'r ddau fyd.''

GRUFFYDD : Dyna fo. Wel, dyma deitl i lyfr Huw—''Pa fodd y ces i'r goreu ar y byd hwn,'' sef, arna i, Gruffydd Huws, wyddost.

MARI : Peidiwch a boddro am Huw mor amal ; mi rydw i wedi laru'ch clywad chi byth a hefyd yn barnu crefyddwyr wrth Huw, a chitha'n gwbod ma un o chwyn yr eglwys ydi o.

GRUFFYDD (*yn danllyd*) : Pam gebyst ynta rydach chi yn Horeb yn gadael iddo fo dyfu yn y gwely gora sydd yn y capel ? Rhyw bwnsh o ddalan poethion fel fo yn y sêt fawr ! Mi fasa'n harddach i chi i garthu o allan i'r lobby o lawer.

(*Distawrwydd.*)

DAFYDD : Fedra i yn y myw beidio meddwl am Mr. Evans yn *agent* yr *Auxiliary*. Gawsoch chi'r newydd o le go saff, Mari Huws ?

MARI : Morus, y bachgan ma, roth hum i mi.

DAFYDD : Ha, mi gwela hi rwan ; Gwen Evans ddeydodd wrth Morus am i thad ; ma Morus a hitha'n caru'n o glos, yn tydy nhw ?

MARI : Felly ma nhw'n deyd. Mi fydd Morus yn lwcus i chael hi, achos mi wyr sut i gadw ty ; dyma hi wedi cadw'r ty i'w thad byth er pan bu farw i mam.

GRUFFYDD : Mi ddeydist rwan, Mari, ma Morus roth hum i ti ; ddeydith yr hen walch yr un pwmp wrtho i ; ond rwyt ti'n medru cocsio i secrats o i gyd.

DAFYDD : Paid ag achwyn, Gruffydd, rwyt ti yn yr un manshar a phob tad arall. Wel, ma'n ddrwg gen i fod Mr. Evans yn mynd i ffwndro'i ben efo'r cwmni na ; ma rhyw gloch bach yn canu'n y nghlust i : gobeithio'r annwyl ma nid rhyw gnafon twyllodrus o gwmpas Llunden na sy'n gwthio'r fusnes yn i flaen.

MARI (*yn ddigllon*) : Cnafon twyllodrus, yn wir ! Ma'r cwmni'r un mwya parchus yn y wlad, ac ma rhai o'r bobol ora ynghlyn a fo. Dyna'r pen dyn, Mr. Francis, yn aelod seneddol ac yn proffesu crefydd, a mawr o arian mae o'n gyfrannu o hyd at achosion crefydd.

GRUFFYDD : Wyt ti dy hun, Mari, yn peidio bod yn *agent* ar y slei, dywad ? Rwyt ti'n siarad run ffunud a *phrospectus* y gymdeithas. Da i byth o'r fan ma, nid peth dwl fasa cael plat melyn ar y llidiart o flaen y ty : " *Mari Huws, Agent for the Auxiliary Society.*"

21

MARI : Wfft fawr i'ch coegni chi. Mi wn be ydw i'n ddeyd ; ma'r papura newydd yn llawn o'r gymdeithas bob wsnos. Mi welis yn " Utgorn Cymru " y dydd o'r blaen fod Mr. Francis yn rhoi pum mil o bunnau at wahanol gymdeithasa cenhadol, roedd o hefyd yn gosod carreg sylfaen dau ne dri o gapeli yn Llunden chydig yn ol.

GRUFFYDD (*dan wincio ar* DAFYDD) : I ba enwad, sgwn i, ma Francis yn perthyn, achos ma'n bwysig i ni wybod yng Nghymru prun ai Sentar ne Fethodis ne Fatist ydi o cyn ymddiried yn harian iddo fo. (*Daw* MR. EVANS *i mewn i'r gegin ar ol curo ar y drws.*) Dyma'r dyn fedar sponio'r dirgelwch i ni ; Mr. Evans, i ba enwad ma Francis, pen manijar yr *Auxiliary Society* yn perthyn ?

MARI : Da chi, Gruffydd, rhowch ben ar y gwawd annuwiol na ; peidiwch a sylwi arno fo, Mr. Evans.

MR. EVANS : O, fe wnaf o'r goreu â Gruffydd Huws ; does dim ofn i frathiad o arna i.

GRUFFYDD : Y nghyfarthiad i ydi'r gwaetha, ia, Mr. Evans ? Eitha gwir : roedd gen i gi defaid amsar yn ol a chena drwg oedd hwnnw—roedd o'n brathu heb gyfarth, a thacla melltigedig ydi rheini. Mi ddyla pob ci respectabl gyfarth unwaith beth bynnag cyn brathu. Ond be ydi'r si ma sy ar led, Mr. Evans, y'ch bod chi'n *agent* i'r *Auxiliary* ?

MR. EVANS : O, mae hi wedi'ch cyrraedd chitha felly ? Wel, cael f'annog gan amryw gyfeillion ddaru mi i gymryd *agency* dros y Gymdeithas yn y gymdogaeth hon, ac mi gydsyniais. Fydd y swydd wrth gwrs yn ymyrryd dim â ngwaith i fel gweinidog Horeb, a wela i ddim fod y ddau waith yn taro chwaith yn erbyn i gilydd yn y gronyn lleia, achos does dim amheuaeth am onestrwydd y Gymdeithas ; mae hi fel y banc, ac mae dynion o ymddiried wrth i chefn hi—dynion sydd â'u henwau yn barchus mewn cylchoedd eglwysig.

DAFYDD : Does dim dowt nad oes mynd mawr arni hi ar hyn o bryd ; ond, a gadael i hynny fod, ofni rydw i, os ca i ddeyd heb y'ch digio chi, nad ydach chi, Mr. Evans, ddim wedi'ch torri ar gyfar y fath waith. Fel deydis i rwan jest wrth Gruffydd a Mari Huws, teimlo rydw i bob amser y'ch bod chi'n fwy naturiol o lawar i mi yn y study a'r pulpud nag efo rhyw waith fel hyn sy'n gofyn am wybodaeth go helaeth o gylch masnach.

GRUFFYDD : Twt, twt ! deyda'n blaen fachgan, teimlo rwyt ti ma pysgodyn mewn cae tatws fydd Mr. Evans fel *agent* yr *Auxiliary*.

DAFYDD : Wel ia, hwyrach ; ond rho di dy farn, Gruffydd.

MARI : Dafydd, dydw i ddim o gwbl o'r un farn a chi.

23

GRUFFYDD : Dyma ti eto, Mari, yn taflu dy gribin i mewn o mlaen i. Mr. Evans, gofyn y marn i roedd Dafydd rwan, ac i ddeyd y gwir yn onest, mi rydw inna'n ofni'ch gweld chi'n gafael yn y swydd ma.

MR. EVANS : Mi wela wrth gwrs ma nid ameu'r Gymdeithas yr ydach chi ond ameu y nghymwyster i i'r swydd yntê ? Wel, mae llu go fawr o weinidogion o bob enwad yn *agents* iddi hi, ac yn sicr mae gen i gystal siawns i lwyddo a llawer ohonyn nhw. Mi wnaf ddigon ohoni, gobeithio, i gael ambell i lyfr newydd i mi fy hun ; anodd ydi cael rheini fel mae petha rwan—'' y pris yn rhy fawr a'r pres yn rhy fach.'' Heblaw hynny, mi rydw i wedi cael dau'n barod i gymryd *shares* yn y Gymdeithas.

GRUFFYDD (*yn fywiog*) : Dau'n barod ! Go lew wir. Oes drwg gofyn pwy ydy nhw ?

MR. EVANS : Pirs Davies, Rhyd y Fen ydi un.

GRUFFYDD : Rhen Birs yn *shareholder* ! Pirs sydd wedi cadw'i arian yn i sana drwy'r blynydd-oedd, rhag ofn i'r bancia dorri ! Da i byth o'r fan ma.

MR. EVANS : Huw Tomos y Ffridd ydi'r llall.

GRUFFYDD (*neidia ar ei draed*) : Ar f'engoch i, Huw ffals wedi mentro ! Wel, myn cebyst,

24

dydi dydd y gwyrthia ddim ar ben. Huwcyn wedi
credu yn sicrwydd y six per cents ; mi fasa'n mynd
i'r nefoedd yn i grynswth tasa gyno fo chwartar
cymin o grêd yn i grefydd, y lluman cyfrwys.

MARI : Rhag cywilydd i chi Gruffydd !—yn
siarad fel pagan yng ngwydd Mr. Evans fel hyn.

GRUFFYDD : Mae ceffyl castiog Huw yn y
nghroen i o hyd, Mari bach ; ond yn wirionadd i,
mi fydd yn hwb da ymlaen i'r Gymdeithas yn yr
ardal ma fod Huw wedi credu yni hi efo'i dafod ac
hefo'i boced.

DAFYDD : Mi rowch chitha'ch arian yni hi,
Mr. Evans ?

MR. EVANS : Os na wna i, pwy wnaiff ?
Rydw i'n barod wedi rhoi'r geiniog bach oedd gen
i mewn yn y Gymdeithas. Be am danoch chi a
Mari Huws, Gruffydd Huws ?

MARI : Rydw i wedi dilyn hanes y Gymdeithas
er's misoedd, ymhell yn wir cyn bod son am dani
yma hefo ni. Mae gen i frawd yn Lerpwl fentrodd
arni'n bur ddwfn, ac mae'r llogau'n dwad i mewn
yn gyson fel y cloc. A dydi Gruffydd ma chwaith
wedi cael fawr o lonydd ers plwc byd, mi rydw i'n
gneud y ngora i gael ganddo roi deucant ne dri i
mewn yni hi. Pam y rhaid i ni golli petha gora'r
byd a chrafu a chynhilo a phinsio'n hunain a dim
uwch bawd troed yn y diwedd ?

GRUFFYDD : Wn i ddim yn iawn beth i ddeyd ar ol yr araith na—prun ai " Amen," ne " Clywch, clywch " ; ond myn gafr, un dda oedd hi.

GWEN EVANS (*egyr y drws a saif ynddo*) : Mi ddarum addo galw am y nhad wrth fyned heibio. Sut mae pawb yma heno ?

GRUFFYDD (*a at y drws i ysgwyd llaw â hi a thyn hi i mewn i'r gegin*) : Neno'r tad, dowch i mewn, Miss Evans, fytwn i mono chi, er ych bod chi'n ddigon da i'ch byta unrhyw ddiwrnod o'r wsnos.

GWEN : Na wir, rhoswn ni ddim heno, mae hi'n mynd yn hwyr. Sut rydach chi, Mari Huws ?

MARI (*dan ysgwyd llaw*) : Go lew wir, thenciw ; newch chi ddim eista funud ?

GWEN : Na wir, rhaid mynd. Rwan nhad.

MR. EVANS (*gwisg ei het*) : O'r gora. Wel, meddyliwch am y Gymdeithas yma'ch dau a chitha hefyd, Dafydd Roberts, mae hi'n camol i hun heb i mi ddeyd dim. Nos dawch i chi'ch tri.

DAFYDD : Waeth i mi ddwad hefo chi Mr. Evans, mae'n bryd i minna fynd i glwydo. Nos dawch. (*A* DAFYDD *allan yn gyntaf,* MR. EVANS *wedyn, a* GWEN *ar ei ol.*)

GRUFFYDD (*pan mae* GWEN *yn mynd*) : Miss Evans, os gwelwch chi Morus ni ar y ffordd yn rhywle, gofynnwch iddo fo be ydi'r rhif lluosog o'r gair bygêjmant—bygêjmynt, ne bygêjmantiau.

MARI (*gan gydio yn ei fraich*) : Tewch, y lolyn gwirion. Nos dawch, Miss Evans. (*Tyn y llian bwrdd o'r dror a thaena ef ar y bwrdd.*)

GRUFFYDD (*yn synfyfyriol*) : Ma'r gloch bach yn canu yn y nghlust inna fel Dafydd, gresyn fod Mr. Evans yn codlo efo'r Gymdeithas ma.

MARI : Cloch bach yn canu yn ych clust chi, wir ! canu yn ych stumog chi y bydd hi amlaf. Wn i ar y ddaear fawr pam rydach chi'n petruso, achos ma'r Gymdeithas fel y Banc o Ingland, ac mi gewch weld y gnaiff Mr. Evans *agent* rhagorol.

LLEN.

27

ACT II.

Stydi yn nhy Mr. Evans.

[*Mae'r drws i'r ystafell ar y dde a ffenestr gyda curtain a hangings gyferbyn â'r edrychwyr. Dodrefner gyda soffa, bwrdd, dwy neu dair o gadeiriau esmwyth a shilffoedd o lyfrau. Cyfyd y llen ar* GWEN *yn tynnu'r llwch oddiar y llyfrau, a* MORUS *yn eistedd yn edrych arni.*]

GWEN : Dyma'r unig gyfle fydda i'n gael ar y stydi ma pan bydd nhad i ffwrdd am ddiwrnod ne ddau.

MORUS : Mae'n rhaid i chi gael i gefn o er mwyn gneud y job yma, ie ?

GWEN : Chaiff neb gyffwrdd â hi pan y bydd o yma ; dyna'r unig beth sy'n i ddigio ; mae'n cwyno fod y llyfra a'r papura'n mynd o'u lle, ac na wyr o ddim ar y ddaear lle mae rhoi i law ar ddim. Wrth gwrs dychmygu hynny mae o, achos mi rydw i wedi dystio'r llyfrau ganwaith heb iddo wbod, a chlywis rioed mono'n cwyno fod dim ar goll y troion hynny.

MORUS : Sut ma'r adnod honno hefyd—"yr hyn ni wel y llygad ni theimla'r galon."

28

GWEN : Adnod pen y pentan ydi honna, a rheini wyddoch chi ora. Ond be nath i chi alw'r adeg yma ar y dydd, Morus ?

MORUS : Be sydd o'i le ar yr adeg yma o'r dydd ? Mi fedra i garu ar unrhyw awr o'r cloc ; dydi nghariad i atoch i ddim fel awydd at fwyd—yn dwad bob rhyw bedair awr. D'alla i ddim bwyta rhwng pryda bwyd, ond mi fedra garu o fore tan nos ; mi rydw i'n barod pan fynnoch chi.

GWEN : Peidiwch a lolian, da chi. Be wyddech chi na fasa nhad wedi dwad adre cyn i chi ddwad yma ? Wyddoch chi ddim pa funud y daw o.

MORUS : Gobeithio y daw o rwan, y funud bresennol hon sydd yma ar hyn o bryd. Os daw o rwan, mi ofynna'i ganiatad o i'ch priodi chi ; da i ddim i guro'r twmpatha ddim chwanag ; mi af at y pwynt hefo fo fel cath i—— wel, fel cath i'r pantri.

GWEN : Roedd y gath na'n meddwl mynd i rywle gwaeth yn toedd hi ?

MORUS : Oedd, ond newid i meddwl yn sydyn ddaru hi. Rwan, Gwen, ma gen i eisio gola gyno chi ar fatar go bwysig ; dyma fo—sut ma gofyn i dad am ganiatad i briodi ei ferch ? Ddylwn i fynd ar un lin ne ddwy ne ragor o flaen ych tad, a gneud araith ar y nglinia ? Wrth gwrs, mi rydw i'n

newydd i'r gwaith, achos fum i rioed o'r blaen yn
gofyn i'r un tad am law i ferch.

GWEN : Wel naddo, gobeithio.

MORUS : Oes rhyw ddefod ne seremoni'n ofyn-
nol wrth ofyn i'ch tad am ych llaw chi ?

GWEN : Be wn i ? Rydw i mor newydd i'r
gwaith a chitha.

MORUS : Ma gen i blan.

GWEN : Wel, be di o ?

MORUS : Mae'n rhaid i chi actio'r plan efo fi
am funud er mwyn i mi gael practis. Bwriwch
mod i'n dwad yma at ych tad i ofyn am ych llaw.
Wrth gwrs rydach chi allan, a dim ond y fi a'ch tad
yn y ty. Rwan am yr act—yr ydach chi i gymryd
lle'ch tad—chi ydi'ch tad. Steddwch yn y gadair
na ; mi gura inna wrth y drws. (A MORUS *allan
drwy'r dde a chura ar y drws.*)

GWEN (*gan actio'i thad*) : Dowch i mewn.

MORUS (*daw i mewn yn swil, â'i gap yn ei
law, ac â ar ei liniau*) : Mr. Evans, syr, yn gymaint
a mod i mewn cariad dros y mhen a nghlustia â'ch
unig ferch Gwen—yr eneth glysa yng Nghymru—
rydw i'n gostyngedig grefu arnoch, syr, i fod mor
garedig a'i rhoddi i mi mewn glan briodas.

30

GWEN : Ma'ch cais chi'n dwad braidd yn sydyn, Morus Huws.

MORUS : Sydyn i chi, syr, ond nid i mi a Gwen.

GWEN : Esgusodwch fi, machgen i am ofyn, ond be sy gynoch chi at gadw gwraig ?

MORUS : Syr, mi rydw i'n i charu hi'n ofnadwy lâs.

GWEN : Da iawn, Morus Huws ; ond sut ma hynny'n mynd i dannu menyn ar y bara ? Mwy na hynny, sut ma cariad ofnadwy lâs yn mynd i gael bara i ddechra heb son am fenyn ?

MORUS : Barchedig syr, ma nhad, Gruffydd Huws, yn ffarmwr cefnog, a fi ydi law dde o ar y ffarm ; y fi ydi unig fab o, ac felly mi ga gynysgaeth go lew gyno fo pan brioda i, a hawdd y medar o fforddio hynny, oblegid yn gynta, mae proffid ar ffarmio, ac yn ail, ma gyno fo arian hefo chi, Mr. Evans, yn yr *Auxiliary Society* sy'n dwad a llogau campus i'w boced o.

GWEN : Ond mi fydd yn chwith iawn gen i madael â Gwen.

MORUS : Raid i chi ddim madael â hi, syr, achos mi gewch fyw yn y ty efo Gwen a finna drwy gydol ych bywyd, ac mi gewch y rwm ora yn y ty yn stydi, a chaiff Gwen na neb arall ddystio'ch llyfra chi, syr, byth bythoedd.

31

GWEN : Wel, wel, rydach chi wedi mherswadio i'n llwyr ; cymrwch Gwen, Morus Huws, a chofiwch ofalu am dani, a gofalwch roi i ffordd i hun iddi ymhob dim ; peidiwch chwaith a grwgnach os bydd hi'n gofyn am dillad newydd a het newydd yn o amal.

MORUS : Mi gaiff wisgo tair het newydd run pryd, syr, os leicith hi. *(Cyfyd ar ei draed, a daw ati.)* Mr. Evans, diolch yn fawr i chi—fyddwch chi gystal a rhoi'r gusan ma i Gwen drosto i ?

GWEN *(rhed am y bwrdd ag ef, a cheisia* MORUS *ei dal)* : Dydi dynion ddim yn cusanu'i gilydd yng Nghymru Morus Huws,—yng ngwlad y Dwyran y gneir hynny.

MORUS *(gan nesu ati o gylch y bwrdd)* : Mi ddo i ddwy ran o'r ffordd atochi, ac wedyn mi fyddwn yn y Dwyran.

GWEN : O'r tad, Morus, ewch adra, achos ma gen i gwrs o waith i neud cyn i nhad ddwad yn ol.

MORUS : Wel, dyna fi wedi cael practis go lew ac os daw petha mor rwydd a hynyna efo'ch tad mi fydd y gostegion priodas allan yn bur fuan. Pryd ma'ch tad yn dwad yn ol ?

GWEN : Rydw i'n i ddisgwyl o ymhen yr awr ; fe aeth i ffwrdd pnawn ddoe i Lanfair i bregethu.

MORUS : Cyfarfod Pregethu ?

32

GWEN : Ia siwr ; ac rydw i mewn brys i weld
o'n dwad yn ol achos mae na ddau ne dri o lythyra'n
i aros—mae marc yr *Auxiliary Society* ar gefn un
ohonyn nhw.

MORUS : Yn tydi o'n syn, Gwen, fod ych tad
wedi llwyddo mor dda fel *agent* yr *Auxiliary* ?
Freuddwydiodd neb ohono ni y basa fo'n gneud
dim o honi : ond erbyn hyn mae o wedi llwyddo i
gael gan bawb yn y pentra bron i roi peth arian yni
hi.

GWEN : Do, fe nath yn well na disgwyliad
pawb ; ond tipyn o drafferth gafodd o efo'ch pobol
chi, yntê ?

MORUS : Ia, efo nhad ; go ara roedd o'n codi
at y pry ; ond mi gododd o'r diwedd ar ol i mam godi
tani a chwythu corn y gad. Mam ydi'r *man of
business* ar y ffarm acw.

GWEN : Ddifarodd ych tad o gwbl osod i arain
yn y Gymdeithas ?

MORUS : Difaru ! a'r *six per cents* yn dwad i'r
tu bob chwarter fel cloc ! Na, choelia i fawr,
achos dyna'r spec ora nath o rioed yn i oes a'r ora
neiff o byth ond un.

GWEN : Prun ydi honno ?

MORUS : Ych cael chi'n ferch-yng-nghyfraith,
Gweno fwyn gu, a rhoi start da i ni'n dau mewn

bywyd (*dan ganu*) '' Myfi yw Bugail Hafod y Cwm,
tra, la, la, la, &c.''

GWEN : Tewch, da chi, ac ewch adra i mi gael
mynd ymlaen efo ngwaith.

MORUS : Rhad ar ych gwaith chi, ddeyda i.
Dyma fi'n mynd ; ond cyn mynd rydw i'n meddwl
dangos bocs bach i chi sy ym mhoced y ngwasgod.
Ac yn y bocs yn cysgu ar wely o wadin mae'r fodrwy
fach hardda welsoch chi rioed.

GWEN (*yn awyddus*) : Modrwy ! gadwch i mi
gweld hi.

MORUS (*deil y bocs oddiwrthi*) : Yn tydach chi'n
rhy brysur efo'ch gwaith.

GWEN : O twt, gadwch i mi gweld hi.

MORUS : Na, na, show am gusan ydi hon ;
y gwir ydi, mi fasa dwy fil o gusana'n warthus o
rad am weld y show yma ; ond mi gymra un gusan
fach fechan, modfadd o hyd wrth hannar modfadd
o led.

GWEN : Mi gewch hynny leiciwch chi ar ol i
mi gael golwg arni—ond i chi fod yn rhesymol wrth
gwrs.

MORUS (*egyr y bocs a dengys y fodrwy*) :
Gadewch i mi weld ydi hi'n ffitio'ch bys chi i ddechra.

34

GWEN (*dyry'r fodrwy ar ei bys*) : O, ma hi'n glws ! Welis i rioed neisiach *engagement ring.*

MORUS : Waeth i chi gymryd y bocs hefyd ; ond cofiwch mai ar ych bys chi ma hi i fod, ac nid yn y bocs. (*Cynygia'r bocs iddi.*)

GWEN (*tyn y fodrwy oddiam ei bys, ac estynna hi iddo*) : Gwell i chi chadw hi a setlo'r matar efo nhad yn gynta.

MORUS : Na chadwa i mohoni, chi pia hi, Gwen bach.

GWEN : Fi fydd pia hi—ond ar ol i chi siarad â nhad.

MORUS : Welwch chi, Gwen, lol wirion ydi peth fel hyn. (*Cymer y fodrwy a gesyd hi yn ymyl y bocs ar y bwrdd.*) Ma'ch tad yn gwbod o'r gora'n bod ni'n caru â'n gilydd.

GWEN : Ydi wrth gwrs ; ond mi leiciwn i chi setlo'r matar efo fo cyn mod i'n derbyn y fodrwy. (*Clywir curo cyffrous wrth ddrws y ffrynt ddwywaith neu dair ac yna rhuthra* MARI HUWS *i mewn yn ddi-seremoni.*)

MARI (*yn gynhyrfus*) : Gwen Evans, ymhle ma'ch tad ? Ddath o adre ?

GWEN : Naddo eto ; ond beth ydi'r matar ? Oes rhywbeth wedi digwydd ? (*gan nesu ati*), steddwch i lawr nes dowch chi atoch ych hun. (*Eis-tedda i lawr ac ymddengys fel pe ar fin llewygu.*)

MORUS (*wrth ei hymyl*) : Be ddath a chi yma, mam ? Ydi nhad wedi daro'n wael ?

MARI (*daw ati ei hun a sieryd yn wannaidd*) : Ti sydd na, Morus ? O, ma'r newydd drwy'r pentra fod Cymdeithas yr *Auxiliary* wedi malu'n chwilfriw, a bod Francis y pen dyn wedi ffoi o'r wlad. Gwen Evans bach, deydwch wrtho i nad ydi hynny ddim yn wir. Os ydi o'n wir, ma enillion caled Gruffydd a finna wedi toddi fel plu eira. Gwen, dydi o ddim yn wir, ydi o ? (*Eistedda* GWEN *â'i phen ar y bwrdd ac mae Mari'n ffyrnigo wrth ei gweld yn fud.*) Deydwch eneth, a pheidiwch a nghadw i yn y mhoen fel hyn. Atebwch—ych tad chi sy'n gyfrifol am y Gymdeithas yn yr ardal yma, ac mi ddylech fod yn gwbod. Does bosib fod ych tad wedi rhedeg i ffwrdd fel Francis ?

MORUS : Mam, mam, ryda chi wedi anghofio'ch hunan ; wyr Gwen ddim am y peth achos ma'i thad hi i ffwrdd yn pregethu er ddoe.

MARI (*saif yn ddigofus uwchben* GWEN) : Pregethu wir ! Pregethu iach a ninna i gyd mewn pryder o'i achos o ! Atebwch, eneth, oes rhyw wir yn y stori ? Ma'r pentra'n ferw i gyd.

GWEN (*yn drallodus*) : O—be wn i ? Dyma'r gair cynta i mi glywad am y peth. O nhad druan !

MARI : Nhad druan, aiê ? Mi fydd yma dadau truan heblaw fo wrth ddrws ych ty cyn bo hir a llawar i fam druan hefyd, os ydi hyn yn wir.

MORUS (*â'i law ar ei hysgwydd*) : Mam, rydach chi'n greulon heb yn wbod i chi. Welwch chwi ddim fod gofid Gwen yn gymaint a gofid neb yn lle ?

MARI (*gan fwrw'i law ymaith yn ddirmygus*) : Morus wyt ti'n ddigon gwynab-galad i feio dy fam a chymryd plaid yr enath ma ar y diwrnod duaf yn hanes dy rieni ? Ai dyma'r tâl wyt ti'n roi am dy fagu ? Wyt ti'n taro efo hon yn erbyn dy fam ?

MORUS : Twt, twt, dydw i'n taro efo neb yn ych erbyn, dim ond gofyn i chi gymryd pwyll, a rhoi'ch synnwyr ar waith. Wyr Gwen ddim am y peth ; ma hi'n disgwyl i thad adra bob munud.

MARI : Symuda i gam oddiyma nes y daw o ; mae'n gywilydd i weinidog yr efengil fel fo fod wedi camarwain yr ardal ma mor ddifrifol, os gwir y stori ma.

GWEN (*cyfyd ar ei thraed*) : Mi fasa'n well gen i chi nharo i yn y ngwyneb na'ch clywad yn deyd y gair yna am y nhad. Nhad yn dwyllwr ! Nhad— y dyn mwya caredig a diniwad yn y wlad. O, mae'n greulon meddwl y fath beth am y nhad heb son am i ddeyd. (*Eistedda i lawr dan wylo.*)

37

MORUS (*wrth ei hochr*) : Gwen bach, poen
meddwl y mam nath iddi siarad fel yna : dydi hi
ddim yn meddwl rhyn ddeydodd hi rwan.

MARI (*dan fflachio arno*) : Ho wir, ai tydi'r
barnwr arna i ? Ti—y crwt bach nad ydi o ddim
ond fel doe gen i olchi dy wynab ! Pwy roth hawl i
ti, tybad, i eista ar y ngeiria a'm meddylia ?

(*Daw* MR. EVANS *i mewn â'i fag yn ei law yn
grynedig ei wedd, a rhuthra* MARI *i'w gyfarfod*.)
Evans, ydi'r newydd ma sy'n dew drwy'r pentra yn
wir ? Ydi Cymdeithas yr *Auxiliary* wedi malu ?
Ydi'r pen dyn, Francis wedi dianc ?

MR. EVANS : Er mwyn y nefoedd, wraig,
rhowch funud o hamdden i mi, neu fe golla fy syn-
hwyrau—oh, mi rydw i bron wedi drysu wrth ddwad
drwy'r pentra rwan ; haid o bobl yn y nilyn i, rhai'n
wylo a rhai'n melltithio. Glywch chwi mohonyn
nhw'r tu allan ? Mae na ddegau lawer yn disgwyl
i mi roi hysbysrwydd iddyn nhw. (*Rhydd ei ddwy-
law ar ei ben*.) Rydw i bron wedi gwallcofi. Gwen
annwyl, mae fel pe tai cyllill poethion yn gweu drwy
mhen. (*Eistedda*.)

GWEN (*gan roddi ei dwylaw ar ei ysgwydd*) :
Nhad bach, oh, mae'n ddrwg gen i drosto chi ; ond
triwch ddal heb dorri'ch calon. Mae ma lythyr i
chi er y bora o Lunden ; hwyrach fod rhyw newydd
da yno fo.

38

MR. EVANS : Estyn o i mi ar unwaith. (*Cymer y llythyr o'i llaw, ac ar ol rhoi'r spectol ar ei lygaid, tyrr yr amlen yn grynedig, ond metha a'i ddarllen.*) Gwen, ngeneth i, mae rhyw niwl dros fy llygaid i ; fedra i mo'i weld i'w ddarllen ; darllen di o.

GWEN (*rhed ei llygad yn gyflym drosto*) : O, nhad annwyl, mae'r stori yn wir ; mae Francis wedi rhedeg o'r wlad a'r Gymdeithas yn ddarna. (*Mae'r tad yn gostwng ei ben ar y bwrdd a* GWEN *yn rhoi ei dwylo am ei wddf.*)

MARI (*yn ddigllon*) : O, ma hi'n rhy hwyr i chi fynd i'r cyflwr yna rwan, Evans ; fe ddylsech wbod am y perig cyn hyn. Dyma bentra cyfa yn diodda o'ch achos chi ; dyma Gruffydd a finna ar ol slafio'n galad drwy'r blynyddoedd wedi byw i weld rhan fawr o nillion ein bywyd yn mynd efo'r gwynt. Bugail iach ydach chi ar Eglwys Horeb, yn gadal i ladron Llunden gneifio'ch defaid chi. Hawdd y gellwch chi roi'ch pen i lawr, ond mi fydd llawer pen i lawr ar lwydydd yr ardal ma heno, a chi sy'n gyfrifol am y cwbl. Mi glywis wrth ddod yma am Jenny Williams, yr hen garpas dlawd, mewn llewyg, wedi cael braw wrth glywed fod y tipyn ceiniog oedd ganddi wedi llyncu gan y'ch Cymdeithas dwyllodrus chi.

39

MORUS : Mam, mam, dangoswch dipyn o
gydymdeimlad â'r aelwyd ma. Mae'r ergyd i Mr.
Evans yn drymach nag i neb yn y lle.

MARI : Taw â dy lol am gydymdeimlad ;
amsar i ddeyd y gwir plaen ydi hi heno, Morus. Ma
gen i air bach i titha cyn gadal y ty ma. Mi wn dy
fod yn cadw cwmni efo'r eneth yna ; ond os byth y
priodi di hi, chei di byth roi dy droed ar yr aelwyd
acw wedyn. Dyna rybudd têg i ti. (*Gwel y fodrwy
ar y bwrdd a chipia hi i fyny yn ei llaw.*) Dyma dy
fodrwy di iddi, ie ? Dyma ernes dy briodas â hi ?
(*hyrddia'r fodrwy i'r llawr.*) Coelia fi, ddoi di byth
i'r ty acw efo merch y dyn sy'n gyfrifol am yr holl
ofid yma i'r pentra. (*A allan, ac ynghanol distaw-
rwydd y stydi clywir hi'n mynd allan at y dorf, ac
yn torri'r newydd iddynt. Yna daw bloedd siomedig
oddiwrth y dyrfa, a thorrir y ffenestr a cherryg.*)

GWEN : O nhad, mae'r bobol yna allan yn gyn-
ddeiriog ; ma nhw'n malu'r ffenestri !

MORUS (*gan fynd at y ffenestr yn wyllt*) : Y cwn
ffals ! Melltith ar i penna !

MR. EVANS (*cyfyd ar ei draed*) : Ust ! ust !
machgen i, peidiwch a galw melltith ar ben neb ;
arna i ma'r felltith heno ; y fi ydi'r achos o'r cwbwl :
'' A myfi yn wir yn gyfiawn,'' achos derbyn yr hyn
haeddis i rydw i. (*Gwelir ef yn chwilio am ei het
fel pe ar fynd allan.*)

40

GWEN (*mewn syndod*) : Nhad, does bosib ych bod chi am fentro allan rwan.

MR. EVANS : Rydw i'n mynd allan i weld Jenny Williams. (*Wrth* MORUS.) Mi ddeydodd ych mam cyn madael fod yr hen wraig mewn llewyg ar ol clywed y newydd drwg yma.

GWEN : Ond mae'n berig bywyd i chi fynd allan rwan, achos mae'r bobol y tuallan yn gynddeiriog. Chlywsoch chi monyn nhw'n gwaeddi ac yn lluchio'r cerryg ?

MR. EVANS : Do, do, ond mae'r hen chwaer yn aelod o Horeb a finnau'n weinidog iddi. Mae'r golled gafodd hi wrth y nrws i, a rhaid mynd i'w gweld.

MORUS : Mr. Evans, y mae'n afresymol i chi fentro allan pan mae petha fel y ma nhw rwan ; does wbod yn y byd be na nhw i chi.

GWEN (*gan ei rwystro i symud*) : Er y mwyn i, peidiwch a mynd.

MR. EVANS (*gan ymryddhau o'i gafael*) : Gweno bach, dyledswydd, dyledswydd, ngeneth i. Does dim ofn y bobol arna i ; y fi (maddeued y Meistr i mi) ydi'r achos o'u cynddaredd. Rhaid mynd, doed a ddelo.

MORUS : Wel, o'r gora, mae'n rhaid i mi gael dod efo chi.

MR. EVANS : Na ddowch yn bendifaddeu ; does dim perigl. (*A allan, a saif* GWEN *a* MORUS *wrth y ffenestr i'w wylio'n mynd i lawr y stryd.*)

MORUS (*craffa drwy'r ffenestr a metha a dal*) : *Three Cheers* i hen weinidog Horeb ! Grym annwyl, mae'n poethi gwaed dyn i weld o'n cerdded mor ddiofn.

GWEN (*yn gyffrous*) : Welwch chi'r dynion na o'i gwmpas ? O nhad bach, ma nhw'n siwr o'i frifo fo ! (*A at y bwrdd â'i phen i lawr heb i* MORUS *sylwi.*)

MORUS (*â'i olwg o hyd ar y ffenestr*) : I frifo fo ! Choeliai fawr ; i dafodi o ma nhw, a thorrodd tafod asgwrn neb erioed. Wel, da i fyth o'r fan ma ! Sylwch arno fo ! Son am *Charge y Light Brigade,* dacw un gan mil gwell na hi—" *The charge of the Church Brigade.*" A ! dacw fo i mewn o'r diwedd yn nhy'r hen Jenny. Iechyd i'w galon o, dyna'r peth dewraf welis i rioed. (*Try ei olwg a gwel fod* GWEN *â'i phen i lawr ar y bwrdd, ac â ati'n araf a sieryd yn dawel â hi.*) Gwen, rydw i'n gobeithio na nath mam ddim drwg rhyngo ni. Dydach chi ddim dicach wrtho i, ydach chi ?

GWEN (*yn drallodus*) : Na, doedd dim bai arnoch chi ; ond mae'ch mam wedi gneud hi'n amhosib i ni fynd ymlaen fel cynt.

42

MORUS : Gweno, Gweno, does bosib ych bod
chi am fy rhoi i fyny ?

GWEN (*yn ddigalon*) : Be arall sy gen i neud ?
Welwch chi'r fodrwy acw ar lawr (*gan bwyntio
ati*) ? Mae'ch mam wedi taflu mwy na'r fodrwy
yna i lawr.

MORUS (*cyfyd y fodrwy*) : Gwaith hawdd ydi
codi'r fodrwy. Gwen annwyl, doedd y mam ddim
yn meddwl yr hyn ddeyddod hi. Mi fydd wedi hen
ddifaru am ei geiria cyn yfory.

GWEN : Na, os bu rhywun o ddifri, roedd ych
mam felly, rwan, ac ma'r hyn ddeydodd hi wedi
torri i'r byw. Waeth i ni edrach y peth yn deg yn i
wynab, mae popeth drosodd rhyngo ni'n dau.

MORUS (*yn oeraidd, gan roi'r fodrwy yn ei boced*) :
Fuoch chi rioed yn y ngharu i, dyna'r gwir, ne fasach
chi ddim yn gollwng ych gafael ar cyn lleied a hyn.

GWEN (*dipyn yn chwyrn*) : Ar cyn lleied a hyn,
ddeydsoch chi ? Welsoch chi mo'ch mam yn sathru
ar enw da y nhad a finna ? Mae gen i nheimlada
fel pawb, ac nid yn fuan y gwellith y briw roth ych
mam iddyn nhw. (*Plyg ei phen i wylo.*)

MORUS (*uwch ei phen*) : Maddeuwch i mi,
Gwen bach ; mi wn fod mam wedi brifo'ch teimlada
chi'n ddrwg iawn ; ond fedra i yn y myw feddwl am
adael i betha ddibennu rhyngo ni fel hyn.

43

GWEN (*yn dorcalonnus*) : Gobeithio nad ydach chi ddim yn meddwl fod yn hawdd i minna'ch rhoi chi i fyny. Rhwng colli parch yr ardal a cholli'r chydig eiddo oedd gyno ni, a'ch colli chitha'n ben ar y cwbwl, rydw i'n teimlo fod y nghalon i wedi torri.

MORUS : Gwen annwyl, mi gyrrwch fi'n wallco os cefnwch chi arna i rwan. Be waeth gen i am rybudd y mam na gwg yr holl wlad os ca i chi ?

GWEN : O Morus, peidiwch a'i gneud hi mor galad i mi wrthod, achos gwrthod raid i mi, ac ma hynny'n gletach i mi nag i chi. (*Daw* MR. EVANS *yn ol yn benisel.*)

GWEN : Mi ddaethoch yn ol yn fuan, nhad ?

MR. EVANS : Do, ngeneth i ; doedd dim croeso heddiw yn nhy Jenny Williams mwy nag yn unman arall ; roedd i geiria hi'n torri fel picellau. (*Eistedda â'i ben i lawr.*)

GWEN (*â'i llaw o gylch ei wddf*) : Nhad bach, mi wyddoch fel ma nghalon i'n poeni drosoch chi; mi nawn unpeth yn y byd i'ch helpu dan y baich ma.

MR. EVANS : Mi wn i hynny, ngeneth annwyl i, ac mae o'n glondid i mi dy fod wrth fymyl i heno. (*Mae* GWEN *yn mynd at* MORUS.)

GWEN : Gwell i chi'n gadael ni'n dau rwan, Morus ; diolch i chi am bopeth naethoch chi i ni ; ond fedrwch chi neud dim rhagor i ni bellach.

MORUS (*yn ddigalon*) : Wel, os rhaid mynd— Nos dawch, Mr. Evans ; Nos dawch, Gwen.

GWEN a MR. EVANS : Nos dawch.

(*Ennyd o ddistawrwydd, a* MR. EVANS *â'i ddwy law ar ysgwydd* GWEN.)

MR. EVANS : Gweno, mi wnes y meddwl i fyny ar y ffordd yn ol o dy Jenny Williams y gwerthwn i bobpeth sydd yn y ty ma—mi wnaf *sale* ar y cwbwl ; chadwa i ddim cwpan yn ol.

GWEN (*yn drist*) : Gwerthu'r cwbwl ?

MR. EVANS : Ie—pob dodrefnyn a llyfr sydd yn y ty, ac fe gaiff yr hen Jenny Williams, a rhai tebig iddi gollodd i heiddo—mi gânt bob ceiniog o'r sale ; fydd hynny'n fawr i gyd wrth gwrs ; ond mi fydd y nghydwybod i'n dawel wedyn.

GWEN : Be ddaw o hono ni wedyn, nhad ?

MR. EVANS : Wel, mi rydw i wedi pregethu am ofal rhagluniaeth ers llawer blwyddyn bellach, a rwan mi rydw i am roi prawf arni. F' unig boen i ydi y bydd yn rhaid i titha wynebu'r storm ma hefo fi, Gweno bach. (*Eistedda i lawr yn bendrist.*)

GWEN (*â'i braich am ei wddf*) : Oh, mi fydd yn dda gen i fod wrth ych ymyl. ''Pa le bynnag yr elych di yr âf finnau, ac ymha le bynnag y lletyech di y lletyaf finnau.''

MR. EVANS (*gan dynnu ei law yn araf dros ei gwallt*) : Gweno, Gweno, rwyt ti'r un ffunud heno a dy fam ; sylwais i ddim ar liw dy wallt di tan heno, mae o'r un wawr yn union a gwallt dy fam ugain mlynedd yn ol ; rwyt ti'r un lais a hi hefyd, a gwell na'r cwbwl—rwyt ti'r un galon a hi. Be wnawn i hebot ti heno, ngeneth bach i ?

LLEN.

46

ACT III.

Ffrynt Ty y Gweinidog.

[*Gwelir ychydig ddodrefn yn annhrefnus o flaen y
ty, cadeiriau, shilffoedd, &c. Cyfyd y llen ar
JONATHAN y criwr a'i fab CADWALADR yn gosod
y gwahanol bethau yn hamddenol yn barod i'r Sale.*]

JONATHAN : Be am y twr llyfra na yn y stydi,
Dwalad ?

CADWALADR : Mi ddoi i a nhw allan yn union
deg. Grym annwyl, welis i rioed shwn lyfra yn
f'oes ! Sgwn i pa cyd gymrodd hi i Mr. Evans i
fynd trwy'r llond shilffoedd na ?

JONATHAN : Mi fydda i'n meddwl, Dwalad,
fod dyn sy wedi bod yn y coleg fel Mr. Evans yn
medru darllan llyfr bron wrth i deimlo fo yn i
ddwylo. Welist ti Gruffydd Huws y Berthlwyd yn
prynu buwch yn y ffair ? Mae o'n mynd ati ac
yn tynnu'i law dros i gwar hi ; yna'n rhoi pwniad
iddi ar i hystlys mewn spot neilltuol, a phlwc iddi
wrth i throed ol mewn smotyn y gwyr y ffarmwrs
am dano ; ac ar ol i moldio hi a'i thylino hi yma ac
acw dros i holl gorff, mi wyr i drwch y blewyn
sut fuwch ydi hi. Braidd na fedar o ddeyd ar ol
rhedeg i fysedd drosti am bum munud sawl chwart

47

o laeth roi'th hi mewn wsnos. Felly Mr. Evans
efo'r llyfra. Mi gymrai gant a hanner o flynydd-
oedd i ti a finnau fynd drwy'r holl lyfra ma, ac ini
fod wrthi Sul gwyl a gwaith. Ond am Mr. Evans,
mae'n cymryd llyfr trwm yn i law, ac ar ol i droi
a'i drosi a'i brofi mewn rhyw smotia y gwyr o am
danyn nhw, mi wyr mewn chwinciad be sy yno fo,
jest fel Gruffydd Huws efo buwch yn y ffair.

CADWALADR : Hwyrach y basa Gruffydd
Huws yn medru gneud yr un peth efo llyfr dasa'r
llyfr wedi ei rwymo mewn croen llo.

JONATHAN (*gan edrych yn ddifrifol arno*) :
Ma gen i ofn weithia ma mewn croen llo y ces ditha
dy rwymo, ngwas i, achos rwyt ti'n gillwng amball i
atebiad fel llo gaea. (*Daw* JONES *y Plisman yn
hamddenol i'r ffrynt o'r dde.*)

JONES : Hylo, Jonathan, rwyt mor brysur a
chynffon oen, fachgan. Pryd ma'r ocsiwn i ddechra?

JONATHAN : Ymhen rhyw awr ne lai.

JONES (*rhodia'n araf o gylch y dodrefn a chyfyd
ambell i lyfr i'w law*) : Jonathan, fu dim mwy o
biti gen i dros neb erioed am wn i na thros Mr.
Evans heddiw. Criw calad yda ni'r plismyn,
medda nhw, ac hwyrach fod peth gwir yn hynny ;
ond wyddost ti, mi fedrwn grio fel hogyn bach jest
rwan wrth weld petha'r hen weinidog ar fin cael i

48

gwerthu. Os bu dyn da clên mewn ardal erioed
Mr. Evans ydi hwnnw, a dyma'i hen gartra wedi
torri, a'i lyfra ar chwâl. Wel, i ddeyd y gwir mi
rydw i'n teimlo fel petaswn i yng nghynhebrwng
hen ffrind.

JONATHAN : Rhyw dderyn ffair ocsiwn ydw
inna, wyddoch, wedi cledu i'r gwaith, ond fel chitha
fedra i yn y myw beidio teimlo ma claddu'r hen
weinidog ryda ni heddiw.

JONES : Ddaw Mr. Evans i hun i'r *sale* tybed ?

JONATHAN : Prin ; mi wyddoch wrth gwrs
i fod o a'i ferch yn aros yn ffarm Trecastell efo'i
frawd-yng-nghyfraith ers yn agos i fis bellach.

JONES : Gwyddwn, ac ma pum milltir yn dipyn
o step iddo i ddwad ddwywaith ne dair yr wsnos i
gyfarfodydd Horeb.

JONATHAN : Ddyn glân, lle rydach chi'n byw,
deydwch ? Fuo Mr. Evans ddim ar gyfyl Horeb
byth ar ol y noson fawr y torrwyd i ffenestri o.

JONES : Felly wir, Anghofia i mo'r noson
honno am blwc, ac ma ol y macha i hyd rwan ar
rai o'r cnafon oedd yn cadw twrw o flaen y ty ma'r
noson honno. Ond mae o'n beth od mor fuan y ma
teimlad pobol yn newid ; ma *Public Opinion*,
Jonathan, fel ceiliog y gwynt i'r blewyn. Cyn i'r

49

Auxiliary Society falu, rhen weinidog oedd tywysog
y lle ; ar ol y *smash* roedd pawb yn i regi a'i fell-
tithio. Ond rwan pan ma nhw'n dallt i fod o am
werthu pob cerpyn yn y ty a rhoi pob bensan i'r
rhai gafodd yr ergyd dryma, ma pobol yn dechra troi
unwaith eto o'i ffafr. Rhad ar y *Public Opinion*,
ddeyda i ! Mi leiciwn roi *Public Opinion* Cymru
yn y cwat, wyddost, i fyw ar fara a dwr am spel.

JONATHAN : Gwir bob gair, Jones ; mi wn
am rai oedd fis yn ol yn galw Mr. Evans yn bob enw
gwaeth na'i gilydd, sydd erbyn hyn wedi newid i
tiwn yn hollol ar ol clywad am y *sale* ac amcan y *sale*.

JONES : Druan o'r hen weinidog ; pa help
oedd gyno fo am y *smash*, sgwn i ? Mae o mor
ddiniwad a phlentyn blwydd oed.

JONATHAN : Ydi, a marciwch chi, Jones, mi
fydd yn uwch nag erioed yn yr ardal ar ol y busnes
ma.

JONES : Ryfeddwn i fymryn ; ond cofia di,
daeth o ddim i lawr yn y mharch i o gwbl wrth lwc,
er i mi golli'n agos i ugain punt yn y Gymdeithas.
Myn gafr, mi rown ddegpunt yn i boced o o'm
mhrinder dasa fo'n i cymryd nhw, ac mae ma erill
fasa'n gneud yr un fath.

JONATHAN : Go lew chi ; ond ma hi'n tynnu
at adeg cychwyn, ac ma'n rhaid i mi olchi arni.

Dwalad, rho law i mi i symud y tacla sy'n y gegin.
(*A* JONATHAN *a'i fab allan ar y chwith a'r* PLISMAN
ar y dde, a daw HUW TOMOS *a* PHIRS DAVIES *i
mewn o'r dde.*)

HUW (*teifl olwg dros y gwahanol bethau*) :
Mae Mr. Evans wedi troi cryn lawar ar y rhain
(*gan gyfeirio at y llyfrau*) yn ystod y blynddoedd, ac
wedi gwasgu arno'i hun i brynu rhai ohonyn nhw,
mi gymrwn fy llw ; a dyma nhw heddiw yn blith
drafflith i'w gwerthu ar ocsiwn.

PIRS : Huw, mi ddigis yn enbyd wrtho fo am
dipyn ar ol i mi golli f'arian yn y Gymdeithas : ond
hawdd cynnu tan ar hen aelwyd, ac os medra i
rywsut mi gynhygia ar rai o'r tacla na, ond iddyn
nhw beidio rhedeg yn rhy uchel : ac os galla i, mi
gânt fynd yn ol iddo fo.

HUW : Go lew, Pirs, ma bwriad tebig yn y mhen
inna. Ma Gruffydd y Berthlwyd yn gyrru arna i
drwy'r ardal am werthu'r hen geffyl hwnnw iddo
fo, ac hwyrach mod i wedi gwaedu'r hen gono
braidd ar y mwya ; ond gwarchod fi, dydw i mo'r
gwalch drwg mae o'n ddeyd mod i chwaith. Mi
awn i'r ty, Pirs, i gael golwg ar y petha. (*A'r ddau
allan ar y chwith, a daw* DOCTOR LEWIS *a* RODRIC *i
mewn o'r dde a chymrant stoc o'r pethau.*)

RODRIC : Tawn i chwartar mor gwaethog a

chi, Doctor, mi brynwn hannar y dodrefn ma yn ol
i'r hen weinidog, y pnawn ma.

DOCTOR : Aros di, ngwas i ; ydi'r hen wein-
idog yn gwsmer i ti ar y slei yn y Bedol acw ?   Sgwn
i be ydi ddiod o—cwrw ne licar ?

RODRIC : Lol botas, ma joc o'r gora yn i lle ;
ond wyr Mr. Evans ddim be ydi blas cwrw na licar ;
ac eto i gyd y fo ydi'r cynta i'n gweld ni yn y Bedol
os bydd rhyw salwch acw. Wyddoch chi, Doctor,
mi nawn i unpeth er i fwyn o.

DOCTOR : Ond troi'n ditotal yntê, Rodric. Mi
fasa'n drêt i dy glywad ti'n canu'r tu ol i'r bar '' dwr,
dwr, dwr, does diod gyffelyb i'r dwr.''

RODRIC : Diain i, mi fydda'n llawn cymin o
drêt i'ch clywad chi'n canu '' dwr, dwr '' ynghanol
poteli ffishig y surjari.

DOCTOR (*dan chwerthin*) : Dyna'r peth smartia
glywis i di'n ddeyd erioed ; roedda ti jest mor smart
a Jones y Plisman y tro yna. Ond i fynd yn ol at
Mr. Evans, mi rydw i wedi ffraeo fy shâr a fo ar
bolitics o dro i dro, achos ma'i bolitics o'n felltigedig
yn y ngolwg i ; ond petaswn inna mewn cornal,
choelia i byth nad am dano fo y baswn i'n gyrru.

RODRIC : Rwan, Doctor, am ddôs dda iddo
fo : *pick-me-up* ydi'r enw yntê ? Ma'r hen

weinidog wedi cael digon o *knock-me-down* yn ddiweddar.

DOCTOR : Gobeithio'r annwyl na fydd dim o'r hen gêr diarth na o Loegar sy'n codi ar gynnig dyn ; rheini sy'n difetha ocsiwn. Gad i ni fynd i'r ty i gymryd stoc o'r stafelloedd. (*A'r ddau allan ar y chwith, a daw* GRUFFYDD HUWS *a* DAFYDD ROBERTS *i mewn o'r dde gan edrych ar y pethau.*)

DAFYDD : Wyt ti'n cofio'r noson honno, Gruffydd—amsar yn ol rwan pan y daeth Mr. Evans i'r Berthlwyd i ddeyd i fod o'n *agent* i'r Auxiliary ?

GRUFFYDD : Ydw, fachgan, fel neithiwr. Bychan wyddwn i y basa fo'n dwad i hyn.

DAFYDD : Wel, choeliet ti ddim mor od ydi hi yn Horeb acw hebddo fo'r mis dwaetha. Mi glywist gan Mari, wrth gwrs, i fod o wedi gyrru i ymddiswyddiad i mewn i ni fel eglwys ?

GRUFFYDD : Do, nen tad, ac ma hynny ar ben y petha erill wedi plagio Mari'n fwy na dim ; teimlo ma hi, wyddost, i bod hi wedi bod yn rhan go fawr o'r achos iddo fo ymddiswyddo. Ydach chi am dderbyn i ymddiswyddiad o ?

DAFYDD : I dderbyn o ? Na nawn, decini wir. Y Sul nesa y byddwn ni'n penderfynu pa gwrs i gymryd ac mi wn ma pwyso nawn ni arno fo i dynnu i ymddiswyddiad yn ol.

GRUFFYDD : Da iawn ; os na thendiwch chi
tua Horeb acw mi fyddwn ni bobol y byd—Doctor
Lewis, Rodric, Jones y Plisman a finna ac erill—
mi fyddwn ni toc yn gneud rhyw lun o eglwys ac
yn rhoi galwad iddo fo.

DAFYDD : Yr hyn sy'n mhoeni i fwya ydi
cofio am y driniaeth arw gafodd o'r noson y daeth
y newydd i'r pentra ; mi gafodd i drin yn waeth na
lleidr penffordd. Diolch i'r trugaredd na ddeydis i
ddim gair bach am dano fo wrth neb.

GRUFFYDD ; Rwyt ti wedi cyffwrdd a hên
friw i mi, rwan, wrth feddwl mor fustladd y bu
Mari ni hefo fo a Gwen Evans ; ma'n debig i bod
hi fel halan ar gig noeth.

DAFYDD : Ia, wrth gwrs, dyna'r noson y torrodd
Gwen y cwlwm â Morus yntê ?

GRUFFYDD : Ia siwr ; fe ddaeth Mari i'r
ty'r noson honno fel gafr ar drana, ac fe aeth drwy'r
holl stori a'r helynt fu yn nhy'r gweinidog. Wn i
ddim oedd hi'n meddwl i mi'i phorthi hi, ond mi
drois arni ac mi bydris i mewn iddi nes yr aeth hi'n
fud i ddechra ac i grio fel plentyn wedyn ; a chofia
di nid crio yn i thempar ond crio am i bod hi'n
gweld i hun wedi gneud tro mor sal a'r hen weinidog.
Dyna'r goncwest fwya ges i erioed ar Mari—
Waterlw dy gyfaill Gruffydd Huws oedd honno.

DAFYDD : Ma hwnna'n newydd hollol i mi,

GRUFFYDD : Yn tydi o bron yn anhygoel pan
gofi di sut un ydi Mari. Tasa hi wedi cael medal
am bob tro y concrodd hi fi, mi fasa wedi chyfro a
medals o'i phen i'w thraed ; ond fi nillodd y Water-
lw wedi'r cwbl, ac ma ngwaith i'n troi arni hi'r
noson honno, a'r ffaith y gwyr hi fod Morus yn poeni
i galon o achos Gwen—ma'r cwbl efo'i gilydd wedi
toddi'r hen General, wel di, ac mi fydd yn haws byw
efo hi rwan nag erioed. Ond diaist i, ma'n ddrwg
gen i dros Morus ; mae o'n methu'n lân a throi
Gwen, a hynny sy'n fecsio Mari'n ofnadwy am y
gwyr hi ma hi ydi achos y drwg yn y caws.

DAFYDD : O, mi ddaw petha i drefn cyn bo
hir rhwng Morus a Gwen—" fe ddaw eto haul ar
fryn, nid ydyw hyn ond cafod."

GRUFFYDD : Digon tebig. Fe aeth Morus ar
i gaseg i Drecastell i gweld hi ben bora heddiw ;
yn wir ma'r gaseg wedi bod yn Nhrecastell mor amal
yn ddiweddar fel y gwyr hi'r ffordd yno efo mwgwd
ar i llygid. (*Daw* MR. BEVAN *a'i glerc o'r dde at*
GRUFFYDD *a* DAFYDD.)

BEVAN : Sut rydach chi'ch dau ? Bysnes go
drist heddiw yntê ? Wyddoch chi ydi Jonathan a
Dwalad o gwmpas ma yn rhywle ?

55

GRUFFYDD : I mewn yn y ty mae'r ddau'n
lled debig ; ma pac o bobol i mewn.

BEVAN (*dan waeddi'n y drws ar y chwith*) :
Jonathan ! Dwalad ! (*Daw'r ddau allan.*) Rwan
heb golli amsar, gosodwch gadar i mi sefyll arni a
byddwch yn handi'ch dau i estyn y gwahanol betha ;
ma hi'n llawn bryd i gychwyn ; cana'r gloch na
Jonathan. (*Cenir y gloch a daw'r bobol i mewn o'r
chwith gan drefnu eu hunain o flaen* BEVAN *sydd
erbyn hyn ar y gadair a'i glerc wrth ei ochr. Saif
yr arwerthwr tua chanol y stage er mwyn cael y
cwmni'n glwstwr gyda'i gilydd a chario'r argraff
fod y dorf yn ymestyn y tuhwnt i olwg yr edrych-
wyr.*)

BEVAN : Foneddigion, fu dim rhaid i mi erioed
o'r blaen neud rhagymadrodd cyn dechra gwerthu ;
ond ma gair ne ddau'n ofynnol heddiw. Mi wyddoch
be ydi'r hanes sy'r tu cefn i'r sale hon. Roedd Mr.
Evans yn benderfynol o werthu'r petha ma ;
doedd dim rhaid iddo yn ol cyfraith y wlad, achos
mi gollodd yr hyn oedd ganddo yng nghymdeithas yr
Auxiliary fel y gnath eraill. Ond mae am werthu'r
cwbl yn y ty a phob ceiniog o'r elw i fynd i'r rheini
suffrodd fwya ynghlyn â'r Gymdeithas. Rwan,
cofiwch hyn, fasa run o nhraed i'n dwad yma ond
fod Mr. Evans yn pwyso arna i, ac fel ffrind iddo mi
ddarum gydsynio, ac wrth gwrs mi fydda'n gneud y

56

job yn rhad ac am ddim. (*Cymeradwyaeth ymysg y prynwyr.*) Gobeithio y byddwch chi'n cynnig yn rhwydd ; peidiwch a nghadw i aros am ddiwrnod cyfa am rôt ne rôt a dima. Jonathan, y pedair cadar acw. (*Deil* JONATHAN *un ohonynt i fyny.*) Cynnig smart rwan am y pedair. Pum swllt— seithwllt—degswllt ; thenciw, dyna rywbeth tebig. Deuddeg—chwech, o'r gora mi gymra chwech i gael mynd ymlaen. Deuddeg a chwech unwaith, deuddeg a chwech ddwywaith—triswllt y gadar— mynd ! (*yn taro*). Dafydd Roberts y Bwlch. Rho fo i lawr, Gomer. Rwan os ydi'r stêm wedi codi, mi ddown at y dresar acw ; dyna ddodrefnyn a graen arno ; nid bob dydd y gwelwch ei debig. Rydw i'n deall fod y dresar ma yn nheulu Mr. Evans ers cenedlaethau. Cynnig da i gychwyn. Pedair punt, thenciw—pum punt o ddau gyfeiriad—chwe phunt —chwe gini—seithbunt—saith gini—ewch ymlaen achos mae hi'n rhad am saith arall. Saith gini ! ydach chi wedi colli'ch gwynt ? Saith gini unwaith, dwywaith—mynd am saith gini (*gan daro*). Huw Tomos y Ffridd. Dyna i chi fargan, Huw.

HUW : Wn i ddim am hynny.

BEVAN : Mi gymrwn rai o'r lotia llyfra ma rwan.

DOCTOR LEWIS : Sut rydach chi am werthu

llyfra, Mr. Bevan—yn fân lotiau ne'r cwbl efo'i gilydd ?

BEVAN : Fel y mynnoch chi ; ond i gwerthu nhw'n fân lotiau oedd y mwriad i.

GRUFFYDD : Mi aiff y llyfra felly'n strim-stram-strellach dros y wlad ; gnewch un lot ohonyn nhw.

DOCTOR LEWIS : Dyna'r plan, Gruffydd Huws· Piti iddyn nhw chwalu i bobman, achos roedd llyfra Mr. Evans yr hyn ydi anifeiliaid i chi'r ffarmwrs.

BEVAN : Wel, o'r gora, mi nawn un lot o'r llyfra. Gadewch i ni fynd i mewn i'r stydi i weld y rest ohonyn nhw. (*A pawb i mewn i'r chwith ond* DWALAD, *yr hwn, ar ol bod yn eistedd ar y bwrdd sy'n tynnu potelaid o bop a buns ac yn dechreu bwyta. Mae* JONES *y Plisman yn dod i mewn o'r dde yn hamddenol.*)

JONES : Mi wela dy fod yn lynsio fel y gwyr mawr, Dwalad.

CADWALADR : Ydw, lynsio ar bop a buns.

JONES : Sut ma nhw'n mynd i lawr—ydi nhw'n cyd-gordio â'i gilydd ?

CADWALADR : Dipyn yn sharp ydi'r pop, a'r buns yn tueddu i fod yn fflat ; ond hwyrach y toddith y *sharps a'r fflats* i'w gilydd yn y cwpwr oddi mewn.

58

JONES (*yn ddifrifol*) : Cadwaladr—mi rydw i'n rhoi dy lawn enw bedydd i ti rwan heb docio dim arno—Cadwaladr, gofala di wrth lowcio'r *sharps* a slaffio'r *fflats* na nei di ddim dinistrio côt dy stumog.

CADWALADR (*gan ddal i fwyta*) : Côt y stumog ! Wyddwn i ddim tan rwan fod côt gan stumog.

JONES : Meddwl roedda ti hwyrach ma crys ne wasgod lanen oedd am dani ? Nei di gofio o hyn allan fod côt gan dy stumog ?

CADWALADR : Côt las wrth gwrs sy gan stumog plisman ?

JONES : Wn i ddim yn siwr ; ond mi ladda'r plisman cynta wela i er mwyn torri dy sychad di am wybodaeth.

CADWALADR : Son newch chi am ladd plisman ; welis i rioed blisman marw, Jones ; ydi plismyn yn marw, deydwch ?

JONES : Ydyn, Dwalad, ma nhw'n marw ; ond marw allan yn yr awyr y ma nhw, ac ma'r nicos ac eraill o'r côr asgellog yn dwad i daenu dail y coed arnyn nhw ac i chiwbanu galarnad uwch i pen. Os gweli di dwmpath glas yn y coed, paid a'i gicio'n anystyriol achos fel rheol plisman ydi o wedi gladdu gan gôr y wig. Oes rhyw oleuni pellach fedra i roi i ti ?

CADWALADR : Oes, ma un peth yn y mhuslo i—pam ma plismyn yn gwisgo shiwt las ?

JONES : Rwyt ti wedi cyffwrdd â phwnc rwan sy wedi drysu dysgawdwr penna'r oesoedd, Dwalad ; ac er na fedar rheswm noeth hwyrach ddim rhoi cyfri am y peth, dyma fy sponiad i : Glas wyddost ydi lliw'r môr—lliw'r weilgi, fel y byddwn ni feirdd yn deyd.

CADWALADR : Ond nid ar y môr ma job plisman !

JONES : Nage ; ond ma na ddirgelwch ynglyn â'r môr—i ble mae o'n mynd pan ma hi'n drai ?

CADWALADR : Mi gwela hi ! I ble ma plisman sychedig yn mynd, pan mae o'n sych ?

JONES : Dyna fo ar i ben ; i ble ma plisman sychedig yn mynd ? Does dim dewin a wyr. Ma plismyn yn llawn o ddirgelwch fel y môr.

CADWALADR : Llawn o ddirgelwch ! Ydyn siwr—mor llawn weithia nes methu cerddad yn syth—peth simsan iawn ydi plisman wedi llyncu chwart o ddirgelwch.

JONES : Gad i mi d'atgofio di wedyn ma glas ydi lliw'r nefoedd.

CADWALADR : Dyna fwy o ddirgelwch fyth— nefoedd a phlisman !

JONES : Y nefoedd wybrennol sy gen i rwan ; ma saith nef wyddost, a'r nef wybrennol ydi'r gynta o'r saith, a glâs ydi lliw honno.

CADWALADR : Be sy wnelo hynny a shiwt lâs plisman ?

JONES : Hyn : Mi wyddost ma Syr Robat Peel ydi tad y Plis *Force* ; fo roth gychwyn iddyn nhw, ac medda fo " pa liw gaiff dillad plisman fod ? " a dyna fo'n ateb, " Mi wna i ddillad plisman mor debig ag sy bosibl i'r nef wybrennol." Ac mi nath felly. Glâs dwfn ydi lliw'r wybren—glas ydi siwt plisman. Wyddost ti, Dwalad, fod o ddau i dri dwsin o fotyma arian ar gôt plisman ? Mi fasa pedwar yn gneud y tro. " Na," medda Syr Robat Peel, " Ma botyma arian côt plisman i bortreadu sers y nefoedd ar fac-grownd o frethyn glâs." Cofia di, ngwas i, fod pob plisman yn bictiwr o'r nef wybrennol. Alla i dorri dy syched ar rhyw bwnc arall ?

CADWALADR : Na, heddgeidwad mwyn ;
    Rhwng Jones a'r pop,
    Rwy'n llawn dop.

(*A* JONES *allan i'r dde, a daw* JONATHAN *i mewn o'r chwith.*)

JONATHAN : Ma'r doctor a'r ffarmwrs na yn prynu petha fel y gwynt, Dwalad.

61

CADWALADR : Peth braf ydi bod a digon o arian. (*Daw* MORUS *i mewn o'r dde.*)

MORUS : Ydi'r *sale* wedi dechra, Dwalad ?

CADWALADR : Ydi ers cryn dipyn.

MORUS : Ydi nhad i mewn y ty ?

CADWALADR : Ydi.

MORUS : Galw arno'n ddistaw bach i ddwad allan. (*Mae* CADWALADR *yn mynd allan i'r chwith.*) Sut fynd sy ar y *sale*, Jonathan ?

JONATHAN : Ma hi'n mynd fel injan ; ma cip mawr ar bopeth. (*Daw* GRUFFYDD *allan ac â* JONATHAN *i mewn.*)

GRUFFYDD : Ti sy yma, Morus ? Be di'r matar ?

MORUS (*yn llawen*) : Mi rydw i newydd ddwad o weld Gwen yn Nhrecastell, ac . . . . wel, i ddeyd yn blaen, ma Gwen o'r diwadd wedi stwytho, ac mi ryda ni'n mynd i briodi.

GRUFFYDD : Ydi dy fam yn gwbod ?

MORUS : Ydi ; mi alwis heibio iddi i ddeyd cyn dwad yma, ac mi roedd hi wedi sirioli drwyddi pan glywodd hi.

GRUFFYDD : Mi wyddwn y basa fo'n mheuthyn iddi glywad, achos ma hi wedi plagio'i chalon byth ar ol iddi droi'r drol arnat ti'r noson honno.

MORUS : Rwan, nhad, does dim amsar i golli ;
ma gen i arian wedi'i troi heibio, ac mi leiciai
Gwen yn i chalon i mi brynu'r hen ddodrefn.

GRUFFYDD (*yn gyffrous*) : Neno'r tad annwyl,
pam na fasa ti'n dwad yn gynt yn lle hel dy draed
cyd ? Ma bron y cwbl wedi mynd. Welis i *sale*
debig iddi yn y mywyd—ma'r petha'n mynd fel
mwg. Ma Doctor Lewis newydd brynu pobpeth
yn y stydi yn un lot hefo'i gilydd. Be aflwydd naiff
o a'r holl lyfra, wn i ddim. Mi brynodd ddodrefn
un lofft yn i chrynswth. Ma Rodric y Bedol wedyn
wedi bachu rhan fawr o dacla'r gegin ; ac ma Huw'r
Ffridd a Phirs a Dafydd Roberts wedi bod wrthi'n
brysur. Rwyt ti ddiwrnod ar ol y ffair, ngwas i.

MORUS (*yn ddigalon*) : Dyna siomedigaeth i
Gwen eto, a hitha wedi rhoi i meddwl ar gael lot
helaeth o betha'r hen gartra'n ol. Does bosib fod
y cwbl wedi mynd !

GRUFFYDD : Na, dydi'r cwbl ddim wedi mynd
wrth gwrs. Ma gen i blan ; mi ddeyda i air yng
nghlust Bevan yr ocsiwniar pan ddaw o allan rwan,
achos ma nhw ar fin dwad allan i'r ffrynt ma. Dos
di adra rwan Morus ; mi weithia i'r bont. (*A*
MORUS *allan drwy'r dde a daw* BEVAN *a'r bobl i
mewn o'r chwith. Ar ol iddynt ddod gwelir*
GRUFFYDD *yn cydio'n ddistaw yng nghôt* BEVAN
*ac yn ei dynnu ar ei ol drwy'r drws ar y dde, a daw'r
ddau yn ol ymhen ennyd. Saif* BEVAN *eto fel o'r*

63

*blaen tua chanol y stage er mwyn rhoi'r argraff fod
torf ger ei fron.)*

BEVAN : Foneddigion, ma gen i gais go anghyff-
redin i'w neud rwan ; ond dyna—*sale* anghyffredin
ydi hi drwyddi draw. Mi wyddoch nad oes gen i
ddim hawl i atal y sale, ond mae ma gais wedi
nghyrraedd i oddiwrth gyfaill calon i Mr. Evans.
Mae'r cyfaill yn dymuno prynu pobpeth sy heb i
werthu o'r stoc trwy drefniant personol â fi. Mae'n
cynnig pris têg am yr holl ddodrefn sydd ar ol, ac
yn rhoi sicrwydd pendant i mi na fydd Mr. Evans
ddim ar i golled. Chi sydd i benderfynu, dyna fi
wedi rhoi'r cais o'ch blaen. *(Gwelir y dorf yn
ymgynghori â'i gilydd am ennyd yn un cylch.)*

HUW TOMOS : Yr ydach chi'n siwr na fydd
Mr. Evans ddim yn golledwr drwy'r trefniant ma ?

BEVAN : Yn berffaith siwr.

HUW TOMOS : Gyda phwy y bydd y cyfaill y
soniwch am dano'n setlo ?

BEVAN : Mi fydd yn setlo hefo fi wrth gwrs, fel
cyfaill arall i Mr. Evans.

HUW TOMOS : Mi rydw inna felly yn cynnig
dros y bobol sydd ma fod y sale i ddibennu rwan.

PIRS : Rydw i'n dymuno eilio'r cynnig.

BEVAN : Mi wn fod hwn yn gwrs go anghyff-
redin i'w gymryd ar ol i *sale* ddechra ; ond mi wn
ych bod chi i gyd mewn cydymdeimlad efo'r amcan
da sydd y tu cefn iddo. Ma Huw Tomos wedi
cynnig a Phirs Davis wedi eilio yn bod ni'n dibennu'r
sale, oes rhyw gynnig arall ? Pawb sydd drosto,
codwch ych dwylo. Thenciw, ma pob llaw i fyny.
Three Cheers i Mr. Evans y gweinidog ; (*Gwaedda
pawb.*) *Three Cheers* arall i'r cyfaill di-enw.

HUW TOMOS : Waeth i chi ddeyd pwy ydi o,
Mr. Bevan.

DOCTOR LEWIS : Mi fetia'r grôt ola sy ar
f'elw ma Morus ne Gruffydd ydi o. Rwan, fechgyn,
mi ruthrwn ar Gruffydd fel un gwr, ac mi cariwn o
drwy'r pentra. (*Codir* GRUFFYDD *ar ysgwyddau
dau neu dri ynghanol brwdfrydedd a dygir ef allan
i'r dde.*)

LLEN.

65

ACT IV.

Parlwr yn ffarm Trecastell.

[Mae'r drws ar y chwith (i'r edrychwyr) yn arwain i'r gegin a'r un ar y dde yn agor i'r passage, lle mae drws y ffrynt. Trefner settee wrth y pared ar y dde, gofaler gyda rhannau eraill o'r dodrefn fod digon o le i'r chwareuwyr. Ar ol codi'r llen gwelir MORUS *a* GWEN *yn eistedd ochr yn ochr ar y settee.]*

GWEN : Dyma wsnos wedi pasio heb i chi alw i ngweld i ; ymhle y buoch chi cyd, Morus ? Ma'r wsnos wedi bod cyn hired a blwyddyn bron.

MORUS : Dyma sum bach i chi mewn *proportion,* Gwen—*compound proportion* : os ydi wsnos fel blwyddyn i Gwen pan ma Morus ei chariad bum milltir i ffwrdd, faint ydi hyd wsnos i'r dywededig Morus pan ma Gwen i ffwrdd, a bwrw fod chwe llath o gariad gan Morus am bob modfadd sy gan Gwen ? Gawsoch chi'r ddau lythyr anfonais i ?

GWEN : Do, a dyna'r ddau lythyr sala gês i rioed.

MORUS : Twt ! fedra i ddim caru drwy'r post.

GWEN : Peth anodd ydi gwasgu'ch meddylia i mewn i lythyr—yntê ?

66

MORUS : Gwasgu meddylia ! Dydi meddylia ddim yn werth i'w gwasgu ; eisio gwasgu nghariad sydd arna i, a fedra i ddim gneud hynny drwy lythyr. Ond mi rydw i'n gofidio o hyd mod i mor hwyr yn cyrraedd y *sale* ; ugain munud yn gynt a mi faswn wedi bachu rhan go dda o'r dodrefn.

GWEN : Roedd o'n biti na fasach chi yno i brynu llyfra nhad a phetha'r stydi ; doedd dim cymint o ods am y lleill. Mi wn fod nhad yn poeni'n ddistaw am y rheini ; ond ma pobpeth yn i boeni o'r wsnosa dwaetha ma—wedi rhoi i eglwys i fyny, wedi gadael yr hen bentra, dim wedi pregethu yr un waith ar ol y noson fawr honno y torrwyd y ffenestri ; does ryfadd i fod o'n cerddad o stafell i stafell ac allan i'r ardd yn benisel heb weld dim na neb. (*Mae hi fel pe'n gwrando.*) Rydw i'n siwr i fod o'n dwad i mewn rwan. (*Daw yr hen weinidog i mewn o'r dde, a cherdda'n ddigalon drwy'r parlwr allan i'r chwith heb weld* MORUS *a* GWEN.) Welodd o mono ni rwan. Yn toes golwg digalon arno fo ?

MORUS : Oh, mi godith i galon mhen tipyn. Ond yr hen *sale* na sy ar y meddwl i ; wn i ddim be aflwydd oedd arna i'n troi nhraed mor hir, ond dyna—roedd petha'n mynd fel olwyn gocos yno. Cyn i mi gyrraedd, a doedd hynny ddim yn hwyr iawn, roedd Huw'r Ffridd a Phirs Davis a Dafydd Roberts a Rodric y Bedol wedi prynu hufen y dodrefn rhyngddyn nhw, ac mi brynodd Doctor Lewis lot y stydi yn i chrynswth, a'r oll o betha un o'r llofftydd.

GWEN : Be neiff y Doctor â nhw, tybed, a llond ty o'r dodrefn gora gyno fo'n barod ? A be ddath dros i ben o i brynu llyfra nhad ?

MORUS : Wn i ddim, nen tad. Wrth lwc, mae tacla'r parlwr gen i, a dyna'r unig lot fedris i fachu.

GWEN : Wel, does mo'r help ond mae o'n beth naturiol iawn i nhad a finna, ran hynny, i fod a hiraeth am ddodrefn yr hen gartra. (*Clywir curo trwm ar ddrws y ffrynt.*) Pwy sydd na, sgwn i ? (*A allan drwy'r dde a chlywir swn siarad, a daw yn ol gyda* Doctor Lewis, Rodric, Gruffydd, Huw'r Ffridd, Pirs *a* Dafydd Roberts.)

DOCTOR : Wel, dyma ni'n dwad gyfeillion diniwad. Rwan, Miss Gwen Evans—y lodes lan ddilediaeth—ydi'ch tad i mewn ?

GWEN : Ydi, mae o i mewn yma'n rhywle efo f'ewyrth.

DOCTOR : Mae ma garavan go fawr ohono ni, ond gofynnwch i'ch tad fod cystal a dwad ato ni am funud os medr o gael lle i sefyll. (*A* Gwen *allan ar y chwith.*) Rwan, Morus, y gwalch drwg, mi ddoist o flaen y prosession wedyn ; gobeithio nad wyt ti ddim wedi gillwng y gath o'r cwd ?

MORUS : Naddo, ar air a chydwybod ; wyddo
nhw ddim am ych busnes chi yma.

DOCTOR : Da, ngwas i ; mi ro i'r stwff neisia
ddaru ti rioed dastio yn y botelaid nesa o ffishig gei
di os byth bydd eisio un arna ti. (GWEN *a* MR.
EVANS *yn bennoeth, yn dod i mewn.*)

MR. EVANS (*mewn llais go drist*) : Wel, wel,
dyma'r Llan wedi dod i Drecastell ; sut yr ydach
chi i gyd ?

DOCTOR : Rwan, Mr. Evans, does dim angen
ysgwyd llaw efo ni hyd nes deydwn ni'n neges a
chan ma'r doctoriaid ydi'r set mwya hy ar ol y
twrniod a'r ffarmwrs, mi actia i fel blaenor gosod—
blaenor artiffisial. Mae ma *deputation* o eglwys
Horeb am ych gweld chi. Huw ! Pirs ! Dafydd !
rwan am dani ; "llawar mewn ychydig" ydi'r
motto.

HUW : Wel, Mr. Evans, i fod yn fyr, eglwys
Horeb ofynnodd i ni'n tri i ddwad atoch chi yma fel
cynrychiolwyr. Neithiwr, roedda ni'n pasio'n un-
frydol fel eglwys i bwyso'n daer arnoch chi i dynnu'ch
ymddiswyddiad yn ol. Welsoch chi rioed mor unol
a gwresog oedd pawb, ac er mwyn Horeb dowch yn
ol ato ni.

PIRS : Mae Huw wedi deyd i'r blewyn fel y bu
petha neithiwr. Chi sy wedi bedyddio a phriodi

y rhan fwya ohono ni acw, ac yn siwr i chi, rydach chi fel cannwyll yn llygad ni ; er mwyn yr achos gora, deydwch wrtho ni y dowch chi'n ol.

DAFYDD : Ga inna ddeyd, Mr. Evans, ma dilewyrch iawn ydi hi wedi bod yn Horeb acw'r wsnosa dwaetha heboch chi. Does dim mynd ar ddim hefo ni—ma hi fel gwylnos acw yn ych absenoldeb.

MR. EVANS : Wel wir—

DOCTOR : Hannar munud, Mr. Evans, mae ma rai erill heblaw eglwys Horeb am gael i pig i mewn yn sgil y *deputation—rank outsiders* fel pe tae. Rodric ! bwrw iddi *full tap*, machgan i.

RODRIC : Rydach chi'n synnu hwyrach ngweld i yma, Mr. Evans, wrth gwt aeloda Horeb ; ond dwad yma drosto fy hun rydw i. Mi wn ych bod chi'n ddirwestwr selog ; ond gaiff tafarnwr fel fi ddeyd mor dda ydi gyno fo am danoch chi ? Anghofia i byth mo'ch caredigrwydd chi lawer gwaith pan oedd hi'n o dywyll yn y ty acw. Dowch yn ol, syr, da chi, i'r pentra ato ni a rhoswch acw tan y diwadd.

DOCTOR : Da iawn, Rodric,--gwin gora'r Bedol os ca i ddeyd hynny. Gruffydd Huws ! mi wn wrth dy wep di fod isio torri geiria arnat titha.

GRUFFYDD : Mae ma bregethwrs mawr of-
natsan wedi siarad o'm mlaen i ; ond mi rydw i
gystal pregethwr a neb ohonoch chi ar y testun yma.
Fel y gwyddoch, Mr. Evans, gwrandawr ydw i yn
Horeb ; ond bron nad alla i ddeyd mod i'n cynrychioli
gwrandawyr erill Horeb y pnawn ma wrth fegio
arnoch i ddwad i'n manijo ni unwaith eto yn Horeb
a'r pentra. Waeth gen i gegin heb gloc i gadw
amsar na phulpud Horeb heboch chi. Dyna
mhregeth i, ac ma hi'n dwad o nghalon i.

DOCTOR : Wel fi sydd i ddibennu'r gymanfa
hon, Mr. Evans, wn i fawr am Horeb, ond y gwn i
hefyd y bydd hi'n llanast ofnadwy yno os nad ewch
chi'n ol atyn nhw. Mi glywis fod pobol yn galw
Rodric a fi a rhai tebig i ni yn hen sprêd y Llan, ond
marciwch chi, ma'r hen sprêd yn meddwl y byd
ohonoch chi er hynny. Wrth gwrs ma'ch politics
chi fel assiffeta i mi—fedra i mo'u haros ; ond y
drwg ydi, chi ydi dyn gora'r gymdogaeth, ac ma'n
rhaid i ni bawb dynnu'n het i chi. Rwan i dorri'r
stori'n fer, dowch yn ol er mwyn Horeb wrth gwrs ;
dowch yn ol er mwyn hen sprêd y pentra.

(*Clywir swn curo wrth ddrws y ffrynt.*)

MR. EVANS : Dyna rywun wrth y drws eto.
(*A* GWEN *i agor, a daw* JONES *y plisman i mewn ar
ei hol.*) Dyn annwyl ! dyma Jones wedi dod i
Drecastell.

JONES : Ia, Mr. Evans, mi glywis fod cymeriad-
au amheus wedi i gweld yn cerdded yn drwp hefo'i
gilydd—blaenoriaid a doctoriaid a rhyw dacla tebig
ac ma'n rhaid i mi fel swyddog y gyfraith fod wrth
sodla rhai felly.

DOCTOR : Wyddost ti, Jones, faswn i'n synnu
dim dy weld yma dasa ma Breimin ne show gwn ne
Steddfod yn cynnig deunaw o wobr am englyn i
gabetshan ; ond y pnawn yma does ma ddim i fyta
nac i yfed nac i smocio ; mewn gair nid yma mae
dy gartref gwiw—mae nefoedd plismyn bum milltir
yn is i lawr dan sein y Bedol, a Rodric ydi gwarch-
eidwad y gwesty hwnnw.

JONES : Go lew wir, mi rydw i'n leicio strôc
y wit sy gynoch chi Doctor—strôc gadarn gref—
mor wahanol i'r dwr lliwia hwnnw fyddwch chi'n roi
i bobol yn y surjary ; ma'ch wit chi'n gry, ond ma'ch
ffishig chi'n wan.   Ond Mr. Evans, efo chi mae'm
neges i rwan, syr.

MR. EVANS (*dan wenu*) : Gadewch i mi ei
chlywad Jones.

JONES : Mi wn be ddaeth a'r byddigions ma
i'ch gweled heddiw—ma nhw am i chi ddwad yn ol
i'r pentra ac i eglwys Horeb.   Wel mi wyddoch ma
un o'r Plis *Force* ydw i—y *force* mwya grymus
feallai yn y greadigaeth faterol ;   ond fel ma

72

gwaetha'r modd dydi'r plismyn ddim yn cael
hamdden i fynd i gapel nac i eglwys.

DOCTOR : Nac i'r dafarn Jones !

MR. EVANS : Chware têg, Doctor, i Jones
gael deyd ei stori i'r diwedd.

JONES : O, peidiwch a phoeni, Mr. Evans, mi
rydw'n nabod y Doctor erbyn hyn lawn cystal ag
mae ceffyl y Doctor yn nabod sein y Bedol ; mae'r
hen geffyl yn cael i bedoli yno deirgwaith a phedair
y dydd—yn tydio, Doctor Lewis ? ond i fynd ym-
laen, ga i heb ragor o smaldod, Mr. Evans, ddeyd mor
falch fasa gen inna'ch gweld chi'n dod yn ol i fyw
i'r pentra acw. Dyna nymuniad i beth bynnag, er
nad ydw i'n ddim ond dipyn o blisman.

DOCTOR : Da machgan i—roedd na well *force*
na'r Plis *Force* yn d'eiria di rwan. Mr. Evans, mi
welwch mor un a chytun yda ni i gyd, ac yr yda ni'n
disgwyl am ych ateb chi, syr.

MR. EVANS : Pwy ddwedodd hefyd "dyledwr
wyf i dlodi"? Mae'r sylw'n wir am danaf fi, beth
bynnag—"dyledwr wyf i dlodi." Mi wyddwn
rywbeth am y pentref cyn i'r storm dorri ar fy
mhen ; ond heddiw y gwn i fwyaf (*try at* GWEN).
Gweno bach, pwy byth all wrthod gwahoddiad fel
hwn oddiwrth Horeb, yn enwedig pan mae'r Doctor

73

a Rodric a Jones a Gruffydd Huws yn i gefnogi o wahanol gyfeiriadau ?

HUW'R FFRIDD (*yn llawen*) : Mi ddowch yn ol, felly, Mr. Evans ?

MR. EVANS : Wel, wrth nad ydach chi ddim wedi blino arna i, hwyrach mai gwell i mi ddod yn ol.

HUW : Mi waeddwn " Hwrê " oni bai i fod o'n achos capel.

DOCTOR : Achos capel ne beidio ! rwan Rodric a Jones a Gruffydd Huws " Hwrê." (*Mae pawb yn rhoi un Hwre, a* HUW, *a* PHIRS, *a* DAFYDD *yn ysgwyd llaw â* MR. EVANS.) Howld on, ma'n rhaid i'r byd gael ysgwyd llaw â chi hefyd. (*Mae'r* DOCTOR, RODRIC, JONES *a* GRUFFYDD *yn gwneuthur hynny.*)

MR. EVANS : Mae'ch croeso chi'n anorch-fygol, ac mi ddof yn ol ar ol cael dodrefn newydd i'r hên dy.

HUW : Dodrefn newydd ! dyma newydd bach i chi—ma'ch nyth chi'n barod i'ch derbyn heddiw nesa. Y gwir ydi ma'ch ty chi'n sefyll 'nunion fel yr oedd o cyn y *sale*, a does dim dodrefnyn wedi i symud o'r ty ar ol y sale ; chi bia'r cwbl eto.

MR. EVANS : Frodyr bach, phrynwyd mo'r pethau i mewn i mi, does bosib ?

HUW : Ma pob bach yn i le. Mi fu Doctor Lewis fel arfar yn wr bynheddig i'r carn—fo brynnodd ych holl lyfra chi a phetha erill y stydi, a llond llofft gyfa o ddodrefn. Mi brynodd Rodric werth punnoedd, ac mae'n rhoi pob teclyn i'r gweinidog felly Pirs a Dafydd, ac wrth gwrs mae cyfran fawr Gruffydd a Morus Huws i mewn.

DOCTOR : Ma Huw'n rhy swil i ddeyd i fod yntau wedi mynd yn ddwfn i'w boced i'r un amcan.

MR. EVANS : Bobol annwyl, dalla i byth ddiolch digon i chi heb son am dalu'n ol.

DOCTOR : Mi dalwch yn ol, Mr. Evans, wrth ddod yn ol i fyw i'r hen nyth. Rwan, Morus, ymhle ma'r briodas na arni fachgan ? Morol di ati yn o fuan i ddwad hefo Gwen fel gwraig i gadw ty i Mr. Evans. Wel, ma hi'n amsar i'r carivan i droi'n ol.

MR. EVANS : Pnawn da i chi i gyd, a bendith arnoch oll. (*A pawb ond* GRUFFYDD *a* MORUS *allan dan ganu'n iach i'r hen weinidog. Ymhen eiliad daw'r plisman yn ei ol.*)

JONES : Mi anghofis ddeyd mod i wedi pasio Mari Huws ar y ffordd : ma'n debig ma dod yma ma hitha hefyd.

75

GRUFFYDD a MORUS (*yn gyffrous*) : Mari ni ? Mam ?

JONES (*dan edrych ar y ddau'n bwyllog*) : Cato pawb ! ma neidio'n sydyn felna'n ddigon i roi dirgrynniad y galon hyd yn oed i blisman, achos dynion brau diflannedig ydi plismyn fel pawb arall. Dydd da (*a allan*).

GRUFFYDD : Mi fentra mhen ma dwad yma i fegio'ch pardwn chi am y noson honno ma hi, Mr. Evans. Welsoch chi moni hi ar ol y tro hwnnw ?

MR. EVANS : Naddo, welais i run golwg arni er hynny ; ond mi wyddwn i bod hi wedi difaru llawer am yr helynt.

(*Curir ar ddrws y ffrynt.*)

GRUFFYDD : Mi agora i'r drws os ca i, er mwyn torri'r garw i'r hen wraig. (*A allan a daw'n ol gyda* MARI *yn dilyn.*) Wel, Mr. Evans, dyma Mari ni wedi dwad i Drecastell fel pawb ohono ni heddiw.

MR. EVANS (*a ar draws yr ystafell yn groesawus â'i law'n estynedig.*) Mari Huws, mae'n dda gen i'ch gweld ; mi sgydwn law am y tro cyntaf ers plwc byd.

MARI : Sgydwa i mo'ch llaw chi, Mr. Evans, nes cael cwympo ar y mai.

76

MR. EVANS : Dyn, dyn ! does dim angen gwneud hynny ; os oedd rhywbeth i'w faddeu, mi rydw i wedi ei hen faddeu erbyn hyn.

MARI : Os ydach chi wedi madda i mi, mi gymer gwrs o amsar i mi fadda i mi fy hun (*ysgyd-want ddwylaw*.) A dyma Gwen Evans, wedyn ; mi fum yn dafotrwg iawn hefo chitha ; newch chi fadda i mi, ngeneth i, fel y'ch tad.

GWEN (*dan ysgwyd llaw â hi*) : Oh, mae popeth yn *all right* ; soniwn ni ddim rhagor am dano.

GRUFFYDD : Wel Mari, dyna'r job fwya graenus welis i di'n neud erioed yn dy fywyd. Mr. Evans, synnwn i flewyn na welwch chi fi'n dod yn aelod o Horeb 'rol gweld Mari'n behafio mor grand, ac yn enwedig ar ol gweld ych aradr chithia'n torri rhychau mor ardderchog y misoedd dwaetha— misoedd oer y cablu fu arnoch chi. (*Yn fwy egniol.*) Ac ar y ngair i, ma Huw'r Ffridd hefyd wedi dod allan yn i liwia gora.

MORUS : Ydach chi wedi madda'r hen geffyl iddo fo ?

GRUFFYDD : Dim cweit, ond ma ceffyl Huw'n dechra mynd yn ebol yn y ngolwg i, a ryfeddwn i ddim nad aiff yr ebol yn llai ac yn llai nes mynd yn ddim yn y diwadd.

77

MR. EVANS : Go lew chi, Gruffydd Huws ;
mi leiciwn i dad-yng-nghyfraith Gwen—achos i'r
fan yna y gwela i betha'n cyfeirio—mi leiciwn i
dad-yng-nghyfraith Gwen fod yn aelod o eglwys ei
thad.

MARI : Gruffydd bach, hwyrach mod i wedi bod
yn ormod o styrmant hefo ti drwy'r blynyddoedd ;
ond choeliet ti byth mor dda fasa gen i dy weld yn
aelod o Horeb.

MORUS (*â'i ddwylaw ar ysgwydd ei dad*) : Rwan,
nhad, gnewch yr hannar addewid yna yn un gyfa
—ddowch chi'n aelod ?

GRUFFYDD : Aros di, ngwas i ; ma ceffyl
Huw wedi mynd cyn lleied ag ebol yn barod ; ond
ma eisio mis ne ddau i'r ebol eto i gwadnu hi o'r
golwg ; ac wedyn——wel amsar a ddengys.
Rwan, Mari bach, mi rown y troed gora ymlaena
er mwyn dal y *deputation*. (*Yn gellweirus.*)
Morus, be am yr hen gaseg, ydi hi yma ? Wel,
nos dawch i chi Gwen, ac i chitha Mr. Evans.

MR. EVANS a GWEN : Ac i chitha'ch dau.
(*A* GRUFFYDD *a* MARI *allan.*)

MORUS : Dyna'r gofid yna drosodd unwaith
eto, Mr. Evans, a phopeth yn union fel yr oedda
nhw cyn i'r Gymdeithas dorri.

78

MR. EVANS : Na, dydi popeth ddim yn union fel o'r blaen ; mae'r mis helbulus dwaetha ma wedi ngadael i ddeng mlynedd yn hynach ; ond diolch fod pethau wedi unioni cystal. (*Dan wenu.*) Fy nhrwbl nesa fydd colli Gwen.

MORUS : Colli Gwen ? Chollwch chi moni tra byddwch chi byw ych dau os caiff Gwen a finna aros hefo chi.

MR. EVANS (*â'i law ar ysgwydd* MORUS) : Morus, mi fuoch yn bur ryfeddol i ni pan roedd hi'n dywyll iawn arnom. (*Try at* GWEN.) Mae hoff bennill dy fam wedi bod yn y meddwl i drwy'r wythnosa tywyll ma——'' O blentyn y nefoedd, paham mae dy fron.'' Wel, machgen i, mi rydw i'n mynd yn hen, ac fel hen wr mi leiciwn i'ch bywyd chi fod mor ddedwydd efo Gwen ag y bu mywyd i efo mam Gwen ; ond gobeithio y cewch chi gadw Gwen yn hwy nag y ces i gadw'i mam. Ewyllys da Preswylydd Mawr y Berth a fo gyda chi'ch dau. (*A'r hen weinidog i mewn drwy'r drws ar y chwith, a daw'r llen i lawr ar* MORUS *a* GWEN *yn edrych arno'n mynd.*)

DIWEDD.